Goldmann SC

Ba

Larry Niven ·

LARRY NIVEN

# Der Baum des Lebens

PROTECTOR

Science Fiction-Roman

WILHELM GOLDMANN VERLAG

MÜNCHEN

Made in Germany · I · 1110
© 1973 by Larry Niven. Ins Deutsche übertragen von Tony Westermayr.
Alle Rechte, auch die der fotomechanischen Wiedergabe, vorbehalten. Jeder
Nachdruck bedarf der Genehmigung des Verlages. Umschlag: F. Jürgen
Rogner. Satz und Druck: Presse-Druck Augsburg. SF 0211 · AP/Pay
ISBN 3–442–23211–2

# PHSSTHPOK

## I

Er saß vor einem zweieinhalb Meter großen Kreis aus durchsichtigem Twing und blickte endlos auf eine wenig erregende Aussicht.

Schon vor einem Jahrzehnt waren diese Sterne als stumpfrote Punkte in seinem Nachstrom verstreut gewesen. Wenn er das Bugfenster durchsichtig machte, würden sie in höllischem Blau flammen, hell genug, daß man dabei lesen konnte. An der Seite war der größte sichtlich abgeflacht. Aber jetzt gab es nur Sterne, weiße Punkte, spärlich an einem vorwiegend schwarzen Himmel verstreut. Es war ein einsamer Himmel. Staubwolken verhüllten die gleißende Pracht der Heimat.

Das Licht in der Mitte war kein Stern. Es war so groß wie eine Sonne, dunkel im Zentrum, und grell genug, um Löcher in die Netzhaut eines Menschen brennen zu können. Es war das Licht des Bussard-Staustrahltriebwerks, in einer Entfernung von bloßen acht Meilen glühend. Alle paar Jahre wendete Phssthpok einige Zeit dafür auf, den Antrieb zu beobachten, nur um sich zu vergewissern, daß er gleichmäßig loderte. Vor langer Zeit hatte er ein schwaches, rhythmisches Flackern rechtzeitig entdeckt und verhindern können, daß sein Raumschiff zu einer winzigen Nova geworden war. Aber in all den Wochen, seitdem er es beobachtete, hatte sich das blau-weiße Licht nicht verändert.

Den größten Teil eines langen, langsam ablaufenden Lebens waren die Himmel an Phssthpoks Bullauge vorbeigekrochen. Trotzdem wußte er wenig von dieser Reise, weil es kaum Ereignisse gegeben hatte, die sein Interesse erregten. Es ist die Art bei der Protektor-Phase der Gattung Pak, daß die Muße-Erinnerungen von der Vergangenheit handeln, als er ein Kind und, später, ein Fortpflanzer war, als die Welt neu und bunt und bar der Verantwortung erschien. Nur Gefahr für sich selbst oder seine Kinder kann einen Protektor aus seiner normalverträumten Mattigkeit reißen und ihn in eine Kampfeswut versetzen, die unter denkenden Wesen nicht ihresgleichen hat.

Phssthpok saß träumend in seiner Katastrophenliege, unter der linken Hand die Fluglagesteuerung. Wenn er Hunger hatte, was alle zehn Stunden einmal vorkam, griff seine knotige Hand, wie zwei Fäuste voll schwarzer, aneinandergereihter Walnüsse, in einen Schlitz auf der rechten Seite und zog eine krumme, fleischige gelbe Wurzel von der Größe einer Süßkartoffel heraus. Erdenwochen waren vergangen, seitdem Phssthpok seine Liege zum letztenmal verlassen hatte. In dieser Zeit hatte er außer Händen und dem Kiefer nichts bewegt, auch die Augen nicht.

Davor hatte es eine Zeit heftiger körperlicher Betätigung gegeben. Ein Protektor hat die Pflicht, fit zu bleiben.

Selbst ein Protektor, der nichts zu beschützen hatte.

Die knotigen Finger bewegten sich, und die Himmel rotierten um Phssthpok. Er sah das andere grelle Licht ins Bullauge gleiten, bevor er die Rotation stoppte.

Bereits heller als alle anderen Sterne, war sein Ziel noch immer zu dunkel, um mehr als ein Stern zu sein, aber heller, als Phssthpok erwartet hatte. Zuviel geträumt – kein Wunder. Er hatte fast zwölfhundert Jahre in der Liege verbracht, regungslos, um seine Nahrungsvorräte zu schonen. Ohne relativistische Effekte wären es dreißigmal soviel gewesen.

Obwohl es sich um den verkrüppelnsten Fall von Arthritis in der Medizingeschichte zu handeln schien, obwohl er Wochen wie ein Gelähmter zugebracht hatte, war der knotige Protektor augenblicklich in Bewegung. Der Staustrahl wurde kraftlos, dehnte sich, kühlte ab. Einen Bussard-Antrieb abzuschalten, ist beinahe so gefährlich, wie ihn in Betrieb zu nehmen. Bei Staustrahlgeschwindigkeiten werden aus dem interstellaren Wasserstoff Gammastrahlen. Er mußte durch Magnetfelder abgelenkt werden, selbst wenn er nicht als Treibstoff verbrannt wurde.

Er hatte den aussichtsreichsten Bereich des Weltraums erreicht. Vor ihm lag der aussichtsreichste Stern. Jene, denen zu helfen er hergekommen war – wenn sie überhaupt existierten; wenn sie nicht in all dieser Zeit ausgestorben waren; wenn sie diesen Stern umkreisten, und nicht einen weniger aussichtsreichen – würden ihn nicht erwarten. Ihr Verstand war beinahe tierisch. Sie mochten Feuer gebrauchen oder auch nicht, aber Teleskope besaßen sie ganz gewiß nicht. Trotzdem warteten sie auf ihn... in gewisser Weise. Wenn sie überhaupt hier waren, dann warteten sie schon zweieinhalb Millionen Jahre.

Er würde sie nicht enttäuschen. Er durfte es nicht.

Ein Protektor ohne Nachkommen ist ein Wesen ohne Sinn und Zweck. Eine solche Abnormität muß einen Zweck erhalten, und zwar schnell, oder beseitigt werden. Die meisten Protektoren sterben. In ihren Gehirnen oder Drüsen zuckt ein Reflex, und sie verspüren keinen Hunger mehr. Manchmal stellt ein solcher fest, daß er die ganze Pak-Art als seine Nachkommenschaft übernehmen kann; aber dann muß er einen Weg finden, dieser Art zu dienen. Phssthpok war einer der wenigen Glücklichen. Es würde furchtbar sein, wenn er scheiterte.

Nick Sohl flog heim.

Seine Ohren nahmen das Summen des Schiffsantriebs nicht mehr wahr. Er hatte in den Saturnringen geschürft, ein Einstufenschiff um sich, eine Schaufel in der Hand – die Magneten, mit denen man Einpoler aus Asteroidenerz zog, sahen Schaufeln erstaunlich ähnlich. Er wäre gern länger geblieben, meinte aber, daß die Gürtel-Zivilisation ohne ihn höchstens drei Wochen auskommen konnte.

Vor einem Jahrhundert waren Einpoler noch bloße Theorie gewesen, noch dazu widersprüchliche. Nach der Magnet-Theorie konnte ein Nordpol nicht unabhängig von einem Südpol existieren, und umgekehrt. Die Quantentheorie deutete an, daß sie unabhängig voneinander existieren mochten.

Die ersten ständigen Siedlungen auf den größten Asteroiden des Gürtels waren aufgeblüht, als ein Forschungsteam im Nikkel-Eisen-Kern eines Asteroiden Einpoler gefunden hatte.

Heutzutage waren sie keine Theorie mehr, sondern eine florierende Industrie im Gürtel. Ein von Einpolern erzeugtes Magnetfeld wirkt nicht in einer Relation des umgekehrten Quadrats, sondern umgekehrt linear. Praktisch gesprochen reicht ein Einpoler-Motor oder -Instrument viel weiter. Einpoler waren wertvoll, wo das Gewicht eine Rolle spielte, und im Gürtel spielte es immer eine Rolle. Aber Einpoler-Schürfen war nach wie vor ein Einmann-Unternehmen.

Nick hatte nicht viel Glück gehabt. Die Saturnringe waren für Einpoler ohnehin kein gutes Gebiet; zuviel Eis, zu wenig Metall. Das elektromagnetische Feld um seinen Frachtbehälter barg nicht mehr als zwei volle Schaufeln von Nord-Einpolern. Kein großer Fang für zwei Wochen mühsame Arbeit... aber auf Ceres trotzdem gutes Geld wert.

Dabei kam es ihm auf Beute nicht an. Schürfen war für den Ersten Sprecher für die Politische Sektion des Gürtels eine Ausrede, um sein enges, tief im Felsgestein von Ceres liegendes Büro verlassen zu können, um den ständigen Streitigkeiten der UNO-Gürtel zu entkommen, seinen Freunden und Bekannten, der Frau und den Kindern, den Feinden und Fremden.

Nick beschleunigte für die Rückkehr nach Ceres, den Saturn als phantastischen Christbaumschmuck hinter sich, als er sah, wie der Schürfmagnet langsam von der Frachtbox fortschwang. Irgendwo links von ihm gab es eine neue und kraftvolle Einpoler-Quelle.

Er grinste breit. Besser spät als nie! Der Zeiger schwankte zwischen zwei Anziehungspunkten, einer davon seine Frachtbox.

Er wendete zwanzig Minuten für die Fixierung eines Laserstrahls auf Ceres auf.

»Hier Nick Sohl, wiederhole, Nicholas Brewster Sohl. Ich möchte einen Anspruch auf eine Einpoler-Quelle in der Richtung —«, er versuchte zu schätzen, wie stark seine Fracht den Zeiger beeinflußte, »— Schütze. Ich möchte die Quelle der Gürtel-Regierung zum Kauf anbieten. Einzelheiten in einer halben Stunde.«

Dann stellte er den Fusionsmotor ab, zog mühsam Raumanzug mit Rückenpack an und verließ mit Teleskop und Schürf-magnet sein Schiff.

Die Sterne sind bei weitem nicht ewig, aber für den Menschen könnten sie es ebensogut sein. Nick schwebte zwischen den ewigen Sternen, bewegungslos, und doch mit Zehntausenden von Meilen in der Stunde zur winzigen Sonne hinabstürzend. *Deshalb* ging er auf Schürfreise. Das Universum flammte wie Diamanten auf schwarzem Samt, eine unvergeßliche Kulisse für den goldenen Saturn. Die Milchstraße war ein Juwelenarmband für das ganze All. Nick liebte den Gürtel vom ausgefrästen Gestein über die Kuppeln auf der Oberfläche bis zu den umgestülpten, rotierenden Seifenblasenwelten, aber vor allem liebte er den Weltraum.

Eine Meile vom Schiff entfernt ortete er mit Teleskop und Schürfmagnet die neue Quelle, dann kehrte er um. In ein paar Stunden konnte er erneut peilen und die Quelle dann durch Triangulation genau fixieren.

Als er zurückkam, war der Kommunikator hell und zeigte das hagere Gesicht Martin Shaeffers, des Dritten Sprechers.

»– sofort melden, Nick. Nicht auf die zweite Ortung warten. Dringende Gürtel-Angelegenheit. Wiederhole. Martin Shaeffer ruft Nick Sohl an Bord Einstufenschiff ›Hummingbird‹ –«

Nick stellte den Laser neu ein.

»Lit, ich fühle mich geehrt. Ein schlichter Angestellter hätte genügt. Wiederhole.« Er schaltete auf Wiederholung und begann aufzuräumen. Ceres war Lichtminuten entfernt.

Nach einiger Zeit kam die Antwort.

»Nick, du bist zu bescheiden. Schade, daß wir den Fund nicht zulassen können. Hundertvier Schürfer haben deine Einpoler-Quelle schon angezeigt.«

Nick riß die Augen auf. Einhundertvier? Aber er befand sich im äußeren System ... und die meisten Schürfer zogen es ohnehin vor, in ihren eigenen Schürfgebieten zu arbeiten. Wieviele hatten sich *nicht* gemeldet?

»Quer durch das ganze System«, sagte Lit. »Ein Riesending von einer Quelle. Durch Parallaxenmessung haben wir sie übrigens schon genau angepeilt. Eine einzige Quelle, vierzig AE von der

9

Sonne entfernt, also etwas weiter als Pluto, und mit einer Winkelneigung von achtzehn Grad zur Sonnensystemebene. Mitschikow meint, daß in der Quelle eine solche Masse an magnetischen Süd-Einpolern sein muß, wie wir im ganzen vergangenen Jahrhundert geschürft haben.«

*Außerirdisch!* dachte Nick. Und: Schade, daß mein Anspruch abgewiesen wird.

»Mitschikow meint, eine solche Quelle könnte ein wirklich großes Bussard-Staustrahlaggregat betreiben – einen bemannten Staustrahl-Roboter.« Sohl nickte. Staustrahl-Roboter waren Robotersonden zu nahgelegenen Sternen, einer der wenigen Bereiche echter Zusammenarbeit zwischen UNO und Asteroiden-Gürtel. »Wir verfolgen die Quelle seit einer halben Stunde. Sie fliegt mit knapp über viertausend Meilen in der Sekunde im freien Fall ins Sonnensystem. Das liegt weit über selbst interstellaren Geschwindigkeiten. Wir sind alle davon überzeugt, daß es sich um etwas Außerirdisches handelt. Irgendein Kommentar? Wiederhole –«

Nick schaltete ab, starrte vor sich hin und versuchte, sich an den Gedanken zu gewöhnen. Ein Outsider!

Outsider war Gürtel-Slang für außerirdische Lebewesen, aber das Wort bedeutete mehr. Der Outsider war das erste denkende außerirdische Lebewesen, das mit der Menschheit je in Kontakt getreten war. Er würde mit dem Gürtel statt mit der Erde in Verbindung treten, nicht nur, weil der Gürtel Anspruch auf fast das ganze Sonnensystem erhob, sondern auch, weil die Menschen, die den Weltraum kolonisiert hatten, eindeutig intelligenter waren.

»Nick Sohl ruft Martin Shaeffer, Stützpunkt Ceres«, gab er durch. »Ja, ich habe etwas zu kommentieren. Erstens, deine Annahme scheint begründet zu sein. Zweitens, hör auf, die Nachricht durch das ganze System zu trompeten. Irgendein Flachländer-Schiff fängt vielleicht Spuren eines Kommunikator-Strahls auf. Früher oder später müssen wir sie zwar einweihen, aber nicht gleich jetzt. Drittens, ich bin in fünf Tagen zuhause. Sieh zu, daß du mir mehr Informationen verschaffen kannst. Wir müssen vorerst keine wichtigen Entscheidungen treffen.« Nicht, bis der Outsider ins Sonnensystem einflog oder selbst Botschaften auszusenden begann. »Viertens –« Stell fest, ob der Kerl die Geschwindigkeit herabsetzt! Stell fest, wo er anhält! Aber das durfte er alles nicht sagen. Zu detailliert für eine Lasernachricht. Shaeffer wußte, was er zu tun hatte. »Viertens entfällt. Sohl out.«

Das Sonnensystem ist groß, und, in den äußeren Bereichen, ziemlich leer. Im Haupt-Gürtel, von knapp innerhalb der Marsbahn bis knapp außerhalb der Jupiterbahn, kann ein entschlossener Mann in einem Monat hundert Gesteinsbrocken untersuchen. Weiter draußen braucht er schon zwei Wochen für Hin- und Rückflug, nur um sich etwas anzusehen, von dem er hofft, daß es noch keiner bemerkt hat.

Der Haupt-Gürtel ist noch nicht abgebaut, wenngleich die meisten großen Steinbrocken jetzt Privatbesitz sind. Die meisten Schürfer ziehen es vor, im Gürtel zu arbeiten. Dort wissen sie, daß sie die Zivilisation und ihre Nebenerzeugnisse erreichen können: Sauerstoff und Wasser in Flaschen, Wasserstoff-Treibstoff, Frauen und andere Leute, einen neuen Luftregenerator, automatische Doktores und therapeutische psychomimetische Drogen.

Brennan brauchte das alles nicht, um bei Verstand zu bleiben. Er zog die äußersten Bereiche vor. Er war im Trojanischen Punkt von Uranus, der dem Eisriesen sechzig Grad hinter der Umlaufbahn folgte. Trojanische Punkte als solche des stabilen Gleichgewichts sind Sammler von Staub und größeren Objekten. Dafür, daß es sich um Weltraumtiefen handelte, gab es hier viel Staub und eine Handvoll von Gesteinsbrocken, die zu untersuchen sich lohnte.

Hätte Brennan gar nichts gefunden, wäre er weitergeflogen zu den Monden, dann zum vorauseilenden Trojanischen Punkt. Dann nachhause zu kurzer Rast und Besuch bei Charlotte, und, weil das Geld zur Neige ging, eine bezahlte Tour auf Merkur, was er verabscheute. Hätte er Uranpecherz gefunden, wäre er monatelang in dem Punkt geblieben.

Statt dessen fand er die Hülle eines uralten Feststoffraketenmotors von Mariner XX, der Beschriftung nach, ein nahezu unbezahlbares Beutestück, als Sammlerobjekt. Brennan machte photobänder *in situ*, bevor er das Ding am Fusionsrohr unter der

Kabine befestigte. Der uralte Motor war halb so groß wie sein Einstufenschiff, aber sehr leicht. Damit konnte er 1 g erreichen, was für sein Schiff nötig war.

Wenn er im Gürtel verkaufte, nahm man dort dreißig Prozent Einkommensteuer und Provision. Verkaufte er auf dem Mond, würde das Museum für Raumflug überhaupt keine Steuer kassieren.

Brennan war in einer guten Position für Schmuggel. Zöllner gab es hier draußen nicht. Seine Beschleunigung würde enorm sein, und man konnte ihn nicht einfangen, bis er den Mond erreichte. Er transportierte weder Einpoler noch radioaktive Stoffe, so daß ihm die Magnet- und Strahlungsdetektoren nichts anhaben konnten. Aber wenn man ihn erwischte, würde man ihm hundert Prozent abnehmen. Also alles. Brennan lächelte. Er gedachte es zu riskieren.


Phssthpoks Mund schloß sich ein-, zwei-, dreimal. Eine gelbe Baum-des-Lebens-Wurzel teilte sich in vier Bissen, ausgefranst, weil die Ränder von Phssthpoks Schnabelmund nicht scharf waren, sondern stumpf und uneben, wie die Krone eines Mahlzahns. Phssthpok schluckte viermal und starrte auf den Bildschirm des Sichtgeräts.

Bei einer Vergrößerung von $10^4$ zeigte der Schirm drei winzige violette Punkte. Am Rand des Geräts vorbeiblickend, konnte Phssthpok nur den hellen, gelben Stern sehen, den er GO Ziel Nr. 1 getauft hatte. Er suchte nach Planeten. Er hatte einen gefunden, einen herrlichen, richtige Größe und passende Temperatur, mit durchsichtiger Atmosphäre, die Wasser enthielt, und mit einem übergroßen Mond. Aber er hatte auch Myriaden violetter Punkte gefunden, so klein, daß er sie zuerst für bloße Spiegelungen auf seiner Netzhaut gehalten hatte.

Es gab sie wirklich, und sie bewegten sich. Sie leuchteten stark, mit der Farbe eines Neutronensterns in der vierten Lebenswoche, wenn die Temperatur noch viele Millionen Grad beträgt.

Offensichtlich waren es Raumfahrzeuge, mit Fusionsantrieb. Der Farbe nach heißer und leistungsfähiger als der von Phssthpok.

Phssthpok fühlte, wie die Wut in ihm aufstieg. Er hielt sie zurück. GO Ziel Nr. 1 war nicht die einzige Möglichkeit. Die Wahrscheinlichkeit betrug sogar nur achtundzwanzig Prozent. Er konnte noch hoffen, daß jene, denen zu helfen er unterwegs war, einen anderen Stern umkreisten. Aber er mußte sich vergewissern.

Nick landete mit der ›Hammingbird‹, veranlaßte Transport und Verkauf seiner Fracht und begab sich unter die Oberfläche. Sein Büro befand sich etwa zwei Meilen unter der mit Kuppeln übersäten Gesteinsoberfläche von Ceres, tief in der Nickel-Eisen-Unterschicht.

Lit saß in einem der Gästesessel, als Sohl eintrat, nachdem er Raumanzug und Helm im Vorraum aufgehängt hatte, die langen Beine ausgestreckt. Er hatte zuviel von seiner Kindheit im freien Fall zugebracht und paßte nun in keinen üblichen Raumanzug, in keine Raumkabine.

Nick setzte sich und schloß kurz die Augen.

»Okay, Lit«, sagte er. »Was ist los?«

»Hier steht alles.« Papier raschelte. »Ja. Die Einpoler-Quelle nähert sich über der Ebene des Sonnensystems, annähernd auf die Sonne gezielt. Vor einer Stunde war sie 2,02 Milliarden Meilen entfernt. Eine Woche nach der Entdeckung durch uns zeigte sie eine stetige Beschleunigung von 0,92 G, vorwiegend lateral, mit Bremsschub, um die Bahn um die Sonne zu lenken. Jetzt wird nur noch verzögert, und der Schub hat sich auf 0,14 G verringert. Damit zielt der Kurs auf die Erdumlaufbahn.«

»Wo wird die Erde dann sein?«

»Wenn er an – dieser Stelle wieder auf 0,92 G geht, wird er in acht Tagen zum Stillstand kommen. Und da wird die Erde sein.« Lit machte ein grimmiges Gesicht. »Das Ganze ist natürlich ziemlich ungenau. Wir wissen nur, daß er auf das innere System zielt.«

»Aber die Erde ist die offensichtliche Zielscheibe. Ungerecht. Der Outsider soll mit uns in Verbindung treten, nicht mit der Erde. Was habt ihr unternommen?«

»Außer Beobachtungen nicht viel. Wir haben Photos davon.

Es sieht nach einer Antriebsflamme aus. Eine Fusionsflamme, etwas kühler als die unsrige.«

»Also geringere Leistung – aber wenn er einen Bussard-Staustrahlantrieb verwendet, hat er den Treibstoff umsonst. Jetzt wird er ja wohl unter Staustrahlgeschwindigkeit liegen.«

»Richtig.«

»Er muß riesig sein. Könnte sich um ein Kriegsschiff handeln, Lit. Bei einer so großen Einpoler-Quelle.«

»Nicht unbedingt. Du weißt doch, wie ein Staustrahlroboter arbeitet, oder? Ein Magnetfeld fängt interstellares Wasserstoffplasma ein, lenkt es von der Frachtkapsel ab und preßt es zusammen, bis der Wasserstoff zur Kernverschmelzung gelangt. Der Unterschied dabei ist, daß niemand mitfliegen kann, weil zuviel Wasserstoff als Strahlung durchkommt. Bei einem bemannten Schiff müßten die Plasmafelder viel, viel stärker abgeschirmt werden.«

»Um soviel mehr?«

»Mitschikow sagt ja, wenn er von weit genug herkommt. Je weiter, desto schneller muß er bei Spitzentempo gewesen sein.«

»Hm.«

»Du hast schon Wahnvorstellungen, Nick. Warum sollte uns irgendeine außerirdische Rasse ein Kriegsschiff schicken?«

»Warum schickt uns überhaupt jemand ein Schiff? Ich meine, wenn man es mit Entgegenkommen versucht... Können wir Kontakt mit dem Schiff aufnehmen, bevor es die Erde erreicht?«

»Mitschikow hat verschiedene Kurse berechnet. Am besten wären unsere Aussichten, wenn wir innerhalb der nächsten sechs Tage eine Flotte von den Trojanern hinter Jupiter starten.«

»Keine Flotte. Der Outsider soll uns für harmlos halten. Haben wir große Schiffe in den Trojanern?«

»Die ›Blue Ox‹. Sie wollte zu Juno, aber ich habe sie requiriert und den Frachttank leeren lassen.«

»Gut. Genau richtig.« Die ›Blue Ox‹ war ein Mammut-Tanker, so groß wie die Luxusschiffe von Titans Hotel, aber nicht so schön. »Wir brauchen einen Computer, einen guten, nicht bloß einen Autopiloten. Dazu einen Techniker, und ein paar Ersatzsinne für die Maschine. Ich möchte sie als Dolmetsch verwenden, und der Outsider mag sich mit Augenzwinkern oder Radio oder Strommodulation verständigen. Können wir vielleicht ein Einstufenschiff im Frachttank unterbringen?«

»Wozu?«

»Für alle Fälle. Wir versorgen die ›Ox‹ mit einem Rettungsboot. Wenn der Outsider ungemütlich wird, kann jemand damit flüchten.«

Lit preßte die Lippen zusammen.

»Er ist groß«, meinte Nick geduldig. »Seine Technologie erlaubt es ihm, den interstellaren Raum zu überwinden. Er kann freundlich sein wie ein kleiner Hund, und trotzdem sagt einer vielleicht das falsche Wort.« Er griff nach einem Telefon und sagte: »Bitte Achilles, Hauptvermittlung.«

Es würde dauern, bis der Laser auf Achilles ausgerichtet war. Nick legte auf, und der Apparat schrillte in seiner Hand.

»Hier Kontrollturm«, sagte das Gerät. »Cutter. Ihr Büro wollte etwas über die große Einpoler-Quelle wissen.«

»Ja.«

»Sie gleicht ihren Kurs dem eines Gürtel-Schiffs an. Der Pilot scheint dem Kontakt nicht auszuweichen.«

Sohl zog die Brauen zusammen.

»Was für ein Schiff?«

»Aus der Entfernung nicht festzustellen. Wahrscheinlich Einstufenschiff, Schürfer. In 37 Stunden 20 Minuten erreichen sie die gleiche Bahn, wenn es sich keiner anders überlegt.«

»Haltet mich auf dem Laufenden. Teleskope einsetzen. Ich möchte nichts versäumen.« Nick legte auf. »Mitgehört?«

»Ja. Finagles Erstes Gesetz.«

»Können wir den Mann aufhalten?«

»Das bezweifle ich.«


Es hätte jeder Beliebige sein können. Tatsächlich war es Jack Brennan.

Er hatte vier Tage lang knapp unter 1 G beschleunigt, das Schmuggelgut am Rumpf, wie einen unterernährten siamesischen Zwilling. Die Uranusumlaufbahn lag weit hinter ihm, das innere System weit vor ihm. Er flog enorm schnell. Es gab noch keine feststellbaren relativistischen Auswirkungen, so schnell war er auch nicht, aber bei der Ankunft würde er die Uhr vorstellen müssen.

Ein Blick auf Brennan. 69 Kilogramm bei 1 G, Größe 1.87 m. Wie alle Gürtelbewohner sieht er aus wie ein überlanger Basketball-spieler ohne Muskeln. Da er fast vier Tage lang in der Steuerliege sitzt, sieht er langsam verknittert und müde aus und fühlt sich auch so. Aber seine braunen Augen sind klar und frisch, normal-sichtig nach Mikrochirurgie, im Alter von achtzehn Jahren. Sein glattes schwarzes Haar ist ein zweieinhalb Zentimeter breiter Streifen, der auf einem braunen, glänzenden Skalp von der Stirn bis zum Nacken verläuft. Er ist Weißer, das heißt, seine Gürtelbe-wohner-Bräune ist nicht dunkler als Cordoba-Leder; wie üblich, bedeckt sie nur seine Hände, das Gesicht und die Kopfhaut über dem Hals. Überall sonst hat er die Farbe eines Vanille-Milch-shake.

Er ist fünfundvierzig Jahre alt, sieht aus wie dreißig. Die Schwerkraft war gut für die Muskeln seines Gesichts und Wachs-tumssalbe für die zur Kahlheit neigende Stelle auf dem Schädel-dach. Aber die feinen Fältchen um die Augen treten jetzt deutlich hervor, weil er seit zwanzig Stunden rätselnd die Brauen zusam-menzieht. Er hat wahrgenommen, daß ihn etwas verfolgt.

Zuerst hatte er an einen Zöllner geglaubt, an einen Polizeibe-amten von Ceres. Aber was machte ein Zollfahnder so weit von der Sonne entfernt? Außerdem war die Antriebsflamme zu ver-schwommen, zu groß, nicht grell genug. Und der Fremde verzö-gerte, während Brennan immer noch beschleunigte, und verfügte noch immer über eine ungeheure Geschwindigkeit. Er mußte ent-weder hinter der Plutoumlaufbahn hervorgekommen sein oder Dutzende von G erzeugen können. Die Antwort blieb sich gleich.

Das seltsame Licht war ein Outsider.

Wie lange wartete der Gürtel schon auf ihn? Brennan wun-derte sich nicht, nicht einmal darüber, daß der Fremde den Kurs anglich. Den Gürtel verständigen? Aber dort mußte man inzwi-schen Bescheid wissen. Das Teleskopnetz verfolgte alle Schiffe im System. Außerdem durfte Brennan den Laser nicht einschalten, damit nicht ein Flachländer-Schiff den Braten roch. Über die

Politik des Gürtels bei Outsiderkontakten gegenüber der Erde wußte Brennan nicht Bescheid.

Der Gürtel mußte ohne ihn handeln.

Offen blieb, was Brennan selbst tun sollte. Eine Flucht lag nahe. Brennan hatte an seine Familie zu denken. Charlotte konnte zwar selbst für sich sorgen, und für Estelle und Jennifer hatte er Geld angelegt. Aber er konnte mehr für sie tun, vielleicht noch einmal Vater werden – eventuell bei Charlotte. An seinem Schiff war Geld festgezurrt. Geld bedeutete Macht.

Wenn er sich mit dem fremden Wesen einließ, mochte er Charlotte nie wiedersehen. Es lagen Risiken darin, als erster einem Angehörigen einer außerirdischen Rasse zu begegnen.

Und Ehre brachte es auch.

Würde die Geschichte den Mann, der mit dem Outsider zusammengetroffen war, jemals vergessen? Einen Augenblick lang hatte er das Gefühl, in einer Falle zu sitzen. So, als spiele das Schicksal mit dem Versorgungsschlauch seines Raumanzugs ... aber er konnte diese Gelegenheit nicht vorbeigehen lassen. Sollte der Outsider kommen. Brennan behielt seinen Kurs bei.

Der Gürtel ist ein enges Netz von Teleskopen, die nach Hunderttausenden zählen. Es geht nicht anders. Jedes Raumschiff besitzt ein Teleskop. Jeder Asteroid muß unaufhörlich beobachtet werden, weil Asteroiden aus ihren Bahnen gelenkt werden können und weil eine Karte des Sonnensystems auf die Sekunde genau stimmen muß. Die Flamme jedes Fusionsantriebs muß beobachtet werden. In überfüllten Sektoren könnten Schiffe den Nachstrom anderer Raumfahrzeuge schneiden, wenn sie nicht gewarnt werden, und der Nachstrom eines Fusionsmotors ist tödlich.

Nick Stohl starrte immer wieder auf den Bildschirm, auf seine Akten, auf den Bildschirm mit zwei Flecken violett-weißen Lichts. Er hatte die Akten studiert, zehn Stück, und jeder dort Genannte mochte der unbekannte Gürtel-Bewohner sein, der sich jetzt dem Outsider näherte. Da das Einstufenschiff nicht flüchtete, hatte Nick im Stillen schon sechs Kandidaten ausgeschieden. Einer von den vier Schürfern besaß die ungeheure Arroganz, sich selbst zum Botschafter der Menschheit im Universum zu ernennen. Geschieht ihm recht, wenn er der Aufgabe nicht gewachsen ist, dachte Nick. Wer ist es?

Eine Million Meilen vor der Jupiterumlaufbahn paßte Phssthpok die Beschleunigung dem des anderen Schiffes an und näherte sich.

Von den Tausenden intelligenter Arten in der Galaxis hatten Phssthpok und Phssthpoks Rasse nur ihre eigene studiert. Wenn sie, wie bei der Ausbeutung nahegelegener Systeme nach Rohstoffen, auf andere Arten stießen, vernichteten sie diese so schnell und gefahrlos wie möglich. Fremde Wesen waren gefährlich oder konnten es sein, und die ›Pak‹ interessierten sich für nichts als die ›Pak‹. Die Intelligenz eines Protektors war hoch, aber Intelligenz ist ein Mittel zur Erlangung eines Zwecks, und Zwecke werden nicht immer von der Intelligenz bestimmt.

Phssthpok konnte nichts tun als raten.

Ging er davon aus, daß die ovale Furche im fremden Schiff eine Tür war, würde der Eingeborene nicht viel größer und nicht viel kleiner sein als Phssthpok. Ein Blick auf den Eingeborenen würde genügen. War es kein ›Pak‹, brauchte er ihm keine Fragen zu stellen. War es einer –

Es würden noch viele Fragen bleiben, aber die Suche würde vorbei sein. Ein paar Tage im Schiff, um GO Ziel Nr. 1–3 zu erreichen, kurze Zeit, um ihre Sprache zu lernen und zu erklären, wie man verwendete, was er mitgebracht hatte, und er konnte aufhören zu essen.

Seine Lebenssystem-Kapsel glitt an das fremde Schiff heran und kam zum Stillstand. Er trug seinen Druckanzug, rührte sich aber nicht. Phssthpok wagte nicht, seine eigene Person aufs Spiel zu setzen, nicht, wenn er dem Sieg so nah war. Wenn nur der Eingeborene herauskommen wollte . . .

Brennan sah das Schiff längsseits kommen. Drei Abschnitte, in Abständen von acht Meilen. Er sah kein Verbindungskabel. Der größte massive Abschnitt mußte der Antrieb sein: ein Zylinder mit drei kleinen, aus dem Heck ragenden Kegeln. So groß er auch war, um Treibstoff für eine interstellare Reise zu enthalten, reichte es nicht. Entweder hatte der Outsider unterwegs Tanks abgeworfen, oder . . . ein bemannter Staustrahlroboter?

Abschnitt Zwei war eine Kugel mit einem Durchmesser von etwa achtzehn Metern. Dieser Abschnitt kam direkt neben Brennan zum Stillstand. Ein großes, kreisrundes Fenster starrte aus der Kugel, so daß sie aussah wie ein großer Augapfel. Sie drehte sich und folgte Brennan, als sie vorbeiglitt. Brennan fiel es schwer, dieses unheimliche Starren zu erwidern.

Die Schleppkapsel war eiförmig, etwa achtzehn Meter lang und zwölf Meter breit. Das dem Antrieb abgewandte Ende war derart mit Staubkornspuren übersät, daß es mit einem Sandstrahlgebläse bearbeitet zu sein schien. Das schmale Ende war spitz und glatt, beinahe glänzend. Brennan nickte vor sich hin. Ein Staustrahl-Fangfeld mußte das vordere Ende bei der Beschleunigung vor Mikro-Meteoriten geschützt haben.

In der bauchigen Iris des Mittelabschnittes regte sich etwas. Brennan starrte angestrengt hinüber . . . aber es rührte sich nichts mehr.

Merkwürdige Art, ein Raumschiff zu bauen, dachte er. Die Mittelkapsel mußte das Lebenssystem sein, wenn auch nur deshalb, weil es ein Bullauge besaß, und die Schleppkapsel nicht. Und der Antrieb war gefährlich radioaktiv – warum das Schiff sonst so weit auseinanderziehen? Das hieß aber, daß das Lebenssystem so angebracht war, um die Schleppkapsel vor der Strahlung zu schützen. Was sich in der Schleppkapsel befand, mußte wichtiger sein als der Pilot, *nach der Meinung des Piloten*. Entweder das, oder Pilot und Konstrukteur waren beide Nichtskönner oder Wahnsinnige gewesen. Das ist Chauvinismus, dachte Brennan plötzlich. Ich kann die Vernunft eines fremden Wesens nicht an Gürtel-Maßstäben messen, oder? Er kräuselte die Oberlippe. Natürlich kann ich das. Das Schiff da ist schlecht konstruiert.

Das fremde Wesen trat heraus auf die Außenhülle.

Alle Muskeln Brennans zuckten, als er es sah. Das Wesen war ein Zweibeiner; von hier aus sah es menschlich genug aus. Aber es war durch das Fenster getreten. Es stand auf der Kapsel, regungslos, wartend. Es hatte zwei Arme, einen Kopf, zwei Beine. Es trug einen Druckanzug. Es hatte eine Waffe – eine Rückstoßpistole? Aber Brennan sah kein Rückenpack. Eine Rückstoßpistole verlangt viel mehr Geschicklichkeit als ein Düsen-Rückenpack. Wer verwendete so ein Ding im freien Weltraum? Und worauf wartete das Wesen?

Natürlich. Auf Brennan.

Einen Augenblick lang drängte es ihn, den Antrieb einzuschalten und das Weite zu suchen. Er verfluchte seine innere Furcht und ging zur Tür. Sein Schiff besaß keine Luftschleuse. Es gab nur die Tür und Pumpen. Brennans Anzug war dicht. Er brauchte nur die Tür zu öffnen.

Auf Magnetsandalen trat er hinaus.

Die Sekunden verrannen, während Brennan und der Outsider einander betrachteten. Sieht menschlich genug aus, dachte Brennan. Zweibeiner. Kopf oben. Aber wenn es menschlich ist, und schon so lange im Weltraum, daß es ein Sternschiff bauen kann, vermag es gar nicht so untüchtig zu sein, wie das Schiff es anzeigt. Vielleicht ist die Fracht wirklich mehr wert als sein Leben.

Der Outsider sprang ab.

Er fiel auf ihn herab wie ein zustoßender Falke. Brennan blieb angstvoll, wo er war, bewunderte aber die Geschicklichkeit des Wesens. Es gebrauchte die Rückstoßpistole nicht. Der Sprung war perfekt. Es würde genau neben Brennan aufsetzen.

Der Outsider landete federnd, fing den Aufprall ab wie nur irgendein Gürtel-Bewohner. Er war kleiner als Brennan, nicht größer als 1.50 m. Brennan blickte durch die Sichtscheibe und zuckte zurück. Das Ding war unglaublich häßlich. Zum Teufel mit dem Chauvinismus: Das Gesicht des Outsiders brachte einen Computer zum Stillstand.

Der eine Schritt rückwärts rettete ihn nicht.

Der Outsider war zu nah. Er griff hin, schloß einen Handschuh um Brennans Handgelenk und sprang. Brennans Atem stockte, und zu spät versuchte er, sich loszureißen. Der Griff des Outsiders war wie Federstahl im Handschuh. Sie wirbelten durch den Raum auf das augapfelförmige Lebenssystem zu, und Brennan konnte nichts dagegen tun.

Nick Sohl hatte inzwischen erfahren, daß Jack Brennan derjenige war, um den es sich handelte. Die Bestätigung war durch seine Frau gegeben worden. Er ordnete an, daß die ›Hummingbird‹ aufgetankt und bereitgehalten wurde. Eine Laserverbindung mit New York war hergestellt. Wenn er Hilfe von der Erde brauchte, dann schnell und sofort, dringend. Überzeugen konnte er die Leute am besten, wenn er selbst erschien. Kein Erster Sprecher war je auf der Erde gelandet ... und er rechnete auch jetzt noch nicht damit, aber *Die Perversität des Universums neigt zum Maximum.*

Nick studierte Brennans Akte. Wirklich schade, daß der Mann Kinder hatte.

Phssthpoks erste klare Erinnerungen rührten von dem Tag her, an dem ihm klargeworden war, daß er ein Protektor war. Als solcher dachte er klar und scharf umrissen. Zuerst war das unangenehm gewesen. Er hatte sich daran gewöhnen müssen. Er hatte Unterstützung bekommen, von Lehrern und anderen.

Es gab einen Krieg, und er war hineingewachsen. Weil er erst lernen mußte, Fragen zu stellen, begriff er seine Geschichte erst nach Jahren:

Dreihundert Jahre vorher hatten sich mehrere hundert große Pak-Familien zusammengetan, um ein großes Wüstengebiet der Pak-Welt wieder fruchtbar zu machen. Eine Generation vorher war die ungeheuer schwierige Aufforstung abgeschlossen worden. Augenblicklich hatte sich die Allianz in mehrere kleine Bündnisse gespalten, von denen jedes das Land für die eigenen Nachkommen belegen wollte. Eine Anzahl von Familien war ausgerottet, die überlebenden Gruppen hatten die Seiten gewechselt, sooft die Sicherung der Nachkommenschaft das verlangte. Phssthpoks Linie hielt jetzt zur Südküste.

Phssthpok schätzte den Krieg. Nicht wegen des Kämpfens. Als Fortpflanzer hatte er Kämpfe erlebt, und der Krieg war weniger eine Sache des Kämpfens als des Problemes, den Feind zu überlisten. Zu Beginn war es ein Fusionsbombenkrieg gewesen. Dabei waren viele Familien zugrundegegangen, und ein Teil der zurückgewonnenen Wüste war wieder Wüste geworden. Dann hatte die Südküste ein Dämpfungsfeld erfunden, das Kernspaltungen verhinderte. Es war sofort kopiert worden. Seitdem betrieb man den Krieg mit Artillerie, Giftgas, Bakterien, Psychologie, Infanterie, sogar mit Attentaten. Es war ein Krieg des Intellekts. Das Spiel wurde immer komplexer, je mehr Phssthpok lernte. Sein eigener Virus QQ tötete bis auf acht Prozent alle Fortpflanzer, ließ ihre Protektoren aber ungeschoren... ungeschoren, und mit verdoppelter Wut kämpfend, um eine kleinere und weniger verwundbare Gruppe artresistenter Geiseln zu retten. Er erklärte sich bereit, ihn zu unterdrücken. Die Familie Aak(pop) hatte zu viele Fortpflanzer für die örtlichen Nahrungsreserven; er lehnte ihr Allianzangebot ab, blokkierte aber ihren Weg zum Ostmeer.

Dann baute die Allianz Ostmeer einen Quetschfeldgenerator, der eine Fusionsreaktion ohne vorherige Kernspaltung ermöglichte.

Phssthpok war Protektor seit sechsundzwanzig Jahren.

Der Krieg war binnen einer Woche zu Ende. Ostmeer besaß die neu kultivierte Wüste, den Teil, der nach siebzig Jahren Krieg nicht verödet und unfruchtbar war. Und über dem Tal Pitschok hatte es einen riesigen Feuerball gegeben.

Die Kinder und Fortpflanzer der Phssthpok-Linie hatten seit unzähligen Generationen in diesem Tal gelebt. Er hatte das furchtbare Licht am Horizont gesehen und gewußt, daß alle seine Nachkommen tot oder steril waren, daß er keinen Stamm mehr besaß, den er schützen mußte, daß er nur noch eines tun konnte, mit dem Essen aufhören, bis er tot war.

So hatte er nicht mehr empfunden. Bis jetzt nicht.

Aber selbst damals, nach biologischer Zeit vor dreizehn Jahrhunderten, hatte er nicht diese schreckliche Verwirrung gespürt. Was war dieses Ding im Druckanzug am Ende seines Armes? Die Sichtscheibe war gegen das Sonnenlicht abgedunkelt. Es sah aus wie ein Fortpflanzer, soviel er nach dem Anzugumriß erkennen konnte. Aber *sie* konnten doch weder Raumschiffe noch Druckanzüge gebaut haben.

Phssthpoks Gefühl für seine Mission hatte sich über zwölf

Jahrhunderte stetig gehalten. Jetzt ertrank es in völliger Verwirrung. Jetzt vermochte er zu bedauern, daß die Pak nichts von anderen intelligenten Arten wußten. Die Zweibeinigkeit mochte nicht auf die Pak allein beschränkt sein. Warum auch? Phssthpoks Form war gut konstruiert. Wenn er diesen Eingeborenen ohne seinen Anzug sehen konnte ... wenn er ihn zu riechen vermochte! Dann kannte er sich bestimmt aus.

Sie landeten neben dem runden Fenster. Brennan wehrte sich nicht, als der Outsider durch die gewölbte Oberfläche griff, etwas erfaßte und sie beide hineinzog. Das durchsichtige Material leistete der Bewegung Widerstand, wie unsichtbarer Brei.

Mit schnellen, ruckartigen Bewegungen zog das fremde Wesen seinen Raumanzug aus, dann drehte es sich um.

Brennan hätte am liebsten aufgeschrien.

Das ganze Wesen bestand aus Knorren. Die Arme waren länger als beim Menschen, mit einem einzelnen Ellbogengelenk etwa an der gewohnten Stelle, aber der Ellbogen war eine Kugel von achtzehn Zentimetern Durchmesser. Die Hände sahen aus wie Ketten aus Walnüssen. Die Schultern, Knie und Hüften wölbten sich wie kleine Melonen. Der Kopf war eine schiefstehende, große Melone auf einem nicht vorhandenen Hals. Brennan fand keine Stirn, kein Kinn. Der Mund des Wesens war ein flacher, schwarzer Schnabel, hart, aber nicht glänzend, der auf halbem Weg zwischen Mund und Augen in runzlige Haut überging. Zwei menschlich wirkende Augen waren geschützt durch ganz und gar nicht menschlich aussehende Massen tief gefurchter Haut und einen vorspringenden Brauenwulst. Zwei Schlitze im Schnabel waren die Nase. Vom Schnabel aus sprang der Kopf gleichsam stromlinienförmig schräg zurück. Aus dem schwellenden Schädel erhob sich ein Knochenkamm, was den Eindruck der Stromlinienförmigkeit noch verstärkte.

Es trug nicht mehr als eine Weste mit großen Taschen, ein menschlich wirkendes Kleidungsstück, so unpassend wie ein Homburg auf dem Schädel von Frankensteins Monstrum. Die geschwollenen Gelenke an der fünffingrigen Hand preßten sich wie Stahlkugeln auf Brennans Arm.

Dies also der Outsider. Nicht bloß ein fremdes Lebewesen. Ein Delphin ist ein fremdes Lebewesen, aber es ist nicht furchtbar. Der Outsider war furchtbar. Er sah aus wie eine Kreuzung zwischen Mensch und ... etwas anderem. Das sind die Ungeheuer der Menschen immer gewesen. Grendel. Der Minotaurus. Meerjungfrauen wurden früher als etwas Schreckliches angesehen: oben ganz verlockende Frau, unten geschupptes Ungeheuer. Und auch das paßte, denn der Outsider war offenbar geschlechtslos, mit nichts als Falten panzerartiger Haut zwischen den Beinen.

Die tiefliegenden Augen, menschlich wie die eines Oktopus, blickten tief in die von Brennan.

Schlagartig, bevor Brennan sich wehren konnte, ergriff der Outsider mit beiden Händen Brennans gummierten Anzug und riß ihn auseinander. Luft fauchte heraus. Brennan spürte einen Knall in den Ohren.

Es hatte keinen Sinn, den Atem anzuhalten. Von der Atemluft seines eigenen Schiffs trennten ihn über hundert Meter Vakuum. Brennan schnupperte vorsichtig.

Die Luft war dünn und hatte einen seltsamen Geruch.

»Du Saukerl«, sagte Brennan. »Das hätte mein Tod sein können.«

Der Outsider antwortete nicht. Er schälte Brennan aus dem Anzug wie eine Orange. Brennan wehrte sich. Er schlug dem anderen ins Gesicht, aber dieser blinzelte nur. Seine Haut glich einer Lederpanzerung. Brennan stieß das Knie in die Höhe. Das Fremdwesen blickte hinunter, sah zu, als Brennan noch zweimal zustieß, und fuhr dann mit seiner Besichtigung fort.

Nie zuvor war Brennan sich nackt vorgekommen, wehrlos. Fremdartige Finger betasteten seine Kopfhaut neben dem Haarkamm der Gürtel-Bewohner, prüften seine Fingerknöchel, die Gelenke unter der Haut.

Auf einmal war es vorbei. Der knorrige Outsider sprang an eine Wand, griff in einen Behälter und zog ein zusammengeklapptes Rechteck aus durchsichtigem Kunststoff heraus.

Brennan dachte an Flucht, aber sein Anzug lag in Fetzen. Das Wesen schüttelte das Ding und fuhr mit dem Finger am Rand entlang. Die Tasche klaffte auf, als habe er einen Reißverschluß geöffnet.

Der Outsider sprang auf Brennan zu, und Brennan sprang davon. Das brachte ihm einige Sekunden relativer Freiheit ein. Dann erfaßten ihn knorrige Finger und schoben ihn in den Sack.

Brennan entdeckte, daß er ihn von innen nicht öffnen konnte.

»Ich ersticke!« brüllte er. Der Outsider reagierte nicht. Er hätte ihn ohnehin nicht verstanden. Er stieg wieder in seinen Druckanzug.

O *nein*. Brennan versuchte den Sack aufzureißen.

Der Outsider klemmte ihn unter seinen Arm und stieg durch das Fenster hinaus. Brennan fühlte, wie der klare Kunststoff sich aufblies und die Luft im Innern noch mehr verdünnte. In den Ohren spürte er Nadeln. Er hörte auf, sich zu wehren. Er wartete mit verzweifeltem Fatalismus, während der Outsider sich durch das Vakuum bewegte, um den augapfelförmigen Rumpf herum, dorthin, wo ein dickes Schlepptau sich zur Schleppkapsel erstreckte.

Nick Sohl starrte auf den Bildschirm. Drei Punkte in einer Reihe, ein vierter daneben. Was auch geschehen war, es *war* geschehen.

Cutters Stimme tönte explosiv aus einem Lautsprecher.

»Nick? Die ›Blue Ox‹ möchte starten.«

»Gut«, sagte Nick.

»Okay. Aber ich stelle fest, daß sie nicht bewaffnet ist.«

»Sie hat doch einen Fusionsantrieb, nicht? Und Lenkdüsen, um die Flamme zu steuern. Wenn sie mehr braucht, stehen wir vor einem Krieg.« Nick schaltete ab. Und dachte nach. Hatte er recht. Sogar eine H-Bombe war als Waffe weniger wirksam. Und eine H-Bombe war eine offensichtliche Waffe, eine Beleidigung für jeden friedliebenden Outsider. Aber ...

Nick beugte sich wieder über Brennans Akte. John Fitzgerald Brennan war der typische Durchschnitts-Gürtel-Bewohner. Fünfundvierzig Jahre alt. Zwei Töchter von derselben Frau,

Charlotte Wiggs. Zweimal war er von Zollbeamten erwischt worden. Einmal wäre die Norm gewesen.

Warum hatte er sich von dem Outsider einholen lassen?

Verdammt, Nick hätte dasselbe getan. Der Outsider war hier im System; jemand mußte ihn begrüßen. Die Flucht wäre ein Eingeständnis gewesen, daß Brennan sich das nicht zutraute.

Brennan war ganz allein in einem kleinen Raum.

Es war ein schlimmer, erschreckender Ritt gewesen. Der Outsider war mit einem Ballon voll Brennan in den Weltraum hinausgesprungen und hatte seine Rückstoßpistole benützt. Sie waren zwanzig Minuten lang dahingeglitten. Brennan war dem Erstickungstod nahe gewesen, bevor sie die Schleppkapsel erreicht hatten.

Er erinnerte sich, daß der Outsider ein flaches Werkzeug an den Rumpf gehalten und sie dann beide durch eine zähflüssige Oberfläche gezogen hatte, die von beiden Seiten wie Metall aussah. Der Outsider hatte den Ballon geöffnet, sich umgedreht und war durch die Wand verschwunden, während Brennan noch hilflos durch die Luft wirbelte.

Die Luft roch wie jene in der Kabine, aber der seltsame Geruch war hier viel stärker. Brennan sog sie wild in sich hinein. Der Outsider hatte den Ballon zurückgelassen. Er schwebte drohend und lockend wie ein Geist auf ihn zu, und Brennan begann zu lachen, ein schmerzhaftes Lachen, beinahe wie ein Schluchzen. Dann schaute er sich um.

Das Licht war grüner als die Sonnenlichtröhren, die er gewöhnt war. Der einzige freie Raum war der, in dem er schwebte, so geräumig wie das Lebenssystem seines Schiffes. Auf der rechten Seite eine Anzahl würfelförmiger Kisten, fast wie Holz, bestimmt ein Pflanzenprodukt. Links ein massiver, rechteckiger Gegenstand mit Deckel, fast wie eine große Tiefkühltruhe. Über ihm und rundherum die gewölbte Wand.

Er hatte also recht gehabt. Das war ein Frachtbehälter. Aber die Hälfte des Raums in dieser tropfenförmigen Frachtluke war ihm versperrt.

Und alles erfüllt von einem merkwürdigen Geruch, wie von

einem unbekannten Parfüm. Der Geruch in der Kabine war ein animalischer gewesen, der des Outsiders. Hier war es anders.

Unter ihm, hinter einem grobgewebten Netz, sah er etwas, das aussah wie gelbe Wurzeln. Sie füllten fast den ganzen Frachtraum aus, so weit Brennan ihn sehen konnte. Brennan sprang hinunter und hielt sich am Netz fest. Der Geruch wurde viel stärker. Er hatte nie etwas Derartiges gerochen, sich vorstellen, erträumen können.

Sie sahen noch immer aus wie hellgelbe Wurzeln: eine Kreuzung zwischen süßer Kartoffel und dem abgeschälten Stück der Wurzel eines kleinen Baumes. Sie waren platt und breit und faserig, an einem Ende spitz, am anderen ganz flach, wie abgehackt. Brennan griff durch das Netz hinein und versuchte eine Wurzel herauszuziehen, aber es ging nicht. Vor dem Eintreffen des Outsiders hatte er gefrühstückt, aber jetzt verspürte er ohne jede Vorwarnung unerträglichen Heißhunger. Minutenlang versuchte er Wurzeln durch Lücken zu ziehen, die einfach zu klein waren. Er zerrte tobend am Netz. Es war fester als Menschenhaut, es riß nicht, aber die Fingernägel. Er brüllte seine Enttäuschung hinaus. Der Schrei brachte ihn zu sich.

Wenn er nun eine herausziehen konnte? Was dann?

*Essen!* Sein Mund füllte sich mit Speichel.

Das würde sein Tod sein. Eine fremde Pflanze von einer fremden Welt. Er sollte lieber daran denken, wie er hier herauskam.

Aber seine Finger zerrten immer noch am Netz. Gab es hier Wasser? Wovon sollte er leben?

Er mußte hier raus.

Der Plastiksack. Er holte ihn herunter und untersuchte ihn. Er kam dahinter, wie man ihn öffnen und verschließen konnte – von außen. Wunderbar. Warte – ja! Er konnte den Sack umdrehen und von innen verschließen. Und dann?

Im Plastiksack konnte er sich nicht bewegen. Keine Hände frei. Selbst in seinem eigenen Raumanzug wäre es riskant gewesen, ohne Rückenpack acht Meilen durch den Weltraum zu schweben. Er konnte ohnehin nicht durch die Wand.

Auf irgendeine Weise mußte er seinen Magen ablenken. Weshalb war der Inhalt des Frachtraums so wertvoll? Wie konnte er mehr wert sein als der Pilot, den man brauchte, um ihn ans Ziel zu bringen?

Der rechteckige Gegenstand war von glänzendem, glattem Material. Brennan fand den Handgriff, konnte ihn aber nicht hochheben. Dann schwoll sein Hunger wieder an, und er schrie auf und riß mit aller Kraft daran. Der Deckel öffnete sich.

Der Behälter war gefüllt mit Samenkörnern groß wie Mandeln, gefroren in Reif, bitter kalt. Er riß mit gefühllosen Fingern ein Samenkorn heraus. Die Luft rings um ihn nahm die Farbe von Zigarettenrauch an, als er den Deckel schloß.

Er schob das Samenkorn in den Mund und erwärmte es mit seinem Speichel. Es hatte keinen Geschmack; es war nur kalt, und dann nicht einmal mehr das. Er spuckte es aus.

Grünes Licht und seltsame, von einem starken Geruch erfüllte Luft . . . Aber nicht zu dünn, nicht zu fremdartig; und das Licht war kühl und erfrischend.

Brennan stieß sich ab zu den Kisten. Mit seiner ganzen Kraft konnte er sie nicht bewegen. Kontaktzement? Aber nach einiger Zeit öffnete sich knarrend ein Deckel. Er war festgeklebt gewesen; das Holz war auseinandergerissen.

Im Innern befand sich ein verschlossener Plastiksack. Plastik? Es sah aus und fühlte sich an wie altes Butterbrotpapier. Es schien feinen, dichten Staub zu enthalten. Brennan schwebte vor den Kisten, eine Hand am aufgerissenen Deckel. Er überlegte . . .

Ein Autopilot, natürlich. Der Outsider war nur Ersatzmann für den Autopiloten; es spielte keine Rolle, was ihm zustieß, er war nur eine zusätzliche Sicherung. Der Autopilot würde diese Feldfrüchte hier ans Ziel bringen. Aber wo war das? Die Erde? Und wenn Feldfrüchte geschickt wurden, mußten andere Outsider nachkommen.

Er mußte die Erde warnen. Richtig. Gut. Aber wie?

Die Verzweiflung war ein Fehler. Der Geruch der Wurzeln hatte nur darauf gewartet, sich auf ihn zu stürzen.

. . . Es war der Schmerz, der ihn zu sich brachte. Seine Hände bluteten von Schürfungen und Schnittwunden. Er hatte Blasen und Blutergüsse und Verrenkungen. Sein kleiner Finger schien gebrochen zu sein. Aber er hatte ein Loch in das Netz gerissen, und seine rechte Hand umklammerte eine faserige Wurzel.

Er schleuderte sie mit aller Wucht davon und krümmte sich sofort zusammen. Er war zornig, er hatte Angst. Dieser verrückte Geruch hatte sein Denken abgeschaltet, als sei er nicht mehr als der Spielzeugroboter eines Kindes!

Er schwebte wie ein Fußball durch die Frachtkapsel, umklammerte mit den Händen die Knie und weinte. Er war hungrig und zornig, gedemütigt und voller Angst. Ein Gegenstand traf ihn am Hinterkopf. Mit einer einzigen Bewegung packte Brennan das Geschoß und biß hinein. Die Wurzel war im Flug abgeprallt und zurückgekehrt. Sie war zäh und faserig zwischen den Zähnen. Der Geschmack war so unbeschreiblich und köstlich wie sein Geruch.

In einem letzten klaren Augenblick fragte sich Brennan, wie lange das Sterben dauern würde. Er biß wieder hinein und schluckte.

Phssthpok besichtigte das Raumschiff seines Gefangenen. Er fand keine Waffen, aber einen großen Metallzylinder, der am Schiff befestigt war. Eine Funktion schien er nicht zu erfüllen. Beeindruckt war Phssthpok vom Antrieb. Binnen einer Stunde hätte er ihn nachbauen können, wenn er das Material zur Verfügung gehabt hätte. Die Eingeborenen mußten intelligenter sein, als er vermutet hatte, oder mehr vom Glück begünstigt. GO Ziel Nr. 1–3 war bewohnbar. Sehr sogar. Ein wenig schwer, sowohl, was die Atmosphäre, als auch, was die Schwerkraft anging. Aber für eine Rasse, die fünfhunderttausend Jahre unterwegs war, unwiderstehlich.

Wäre sie hierhergekommen, dann wäre sie auch geblieben.

Damit verringerte sich das von Phssthpok abzusuchende Gebiet um die Hälfte. Sein Ziel mußte von hier an einwärts liegen, in Richtung des galaktischen Kerns. Sie waren einfach nicht so weit gekommen.

Das Lebenssystem verwirrte Phssthpok am meisten. Er fand Dinge, die er einfach nicht verstand, nie verstehen würde.

Die Küche etwa. Im Weltraum spielte das Gewicht eine

wesentliche Rolle. Warum hatte man nicht ein leichtes, notfalls synthetisch hergestelltes Nahrungsmittel entwickelt? Statt dessen bevorzugte man eine Vielfalt von vorgepackten Speisen und eine komplizierte Maschine für Auswahl und Zubereitung.

Oder die Bilder. Phssthpok kannte photographische Aufnahmen, verstand Diagramme und Karten. Aber die drei Kunstwerke an der Wand hatten damit nichts zu tun. Es waren Kohlezeichnungen. Eine zeigte den Kopf eines Eingeborenen, aber mit längerem Haarkamm und seltsamer Färbung um Augen und Mund, die anderen mußten jüngere Ausgaben derselben unangenehm Pak-ähnlichen Art sein. Nur Kopf und Schultern waren zu sehen. Welchen Zweck erfüllten sie?

Von Kunst oder Luxus hatte Phssthpok keine Ahnung. Luxus? Ein Pak-Fortpflanzer hätte Luxus vielleicht zu schätzen gewußt, war aber zu dumm, ihn sich selbst zu schaffen. Einem Protektor fehlte die Motivation. Die Wünsche eines Protektors hingen alle mit dem Bedürfnis zusammen, seine Nachkommen zu beschützen.

Kunst? Es hatte schon vor Geschichtsbeginn Karten und Zeichnungen bei den Pak gegeben. Aber sie dienten dem Krieg. Außerdem erkannte man seine Angehörigen nicht durch das Sehen. Sie rochen richtig.

Den Geruch eines Angehörigen reproduzieren?

Und was sollte Phssthpok von Brennans Raumanzug halten? Von der auf der Vorderseite aufgemalten ›Madonna von Port Lligat‹ von Salvadore Dali? Da schwebten Berge über einem sanften blauen Meer, der Schwerkraft widerstehend, die Unterseite flach und glatt. Da waren eine Frau und ein Kind, übernatürlich schön, mit Fenstern in ihren Körpern. Da war nichts für Phssthpok.

Dafür entdeckte er, daß die Eingeborenen Einpoler verwendeten. Sie mußten Methoden haben, sie aufzufinden. Phssthpok hatte einen Eingeborenen gefangengenommen – eine feindselige Handlung. Und Phssthpoks Schiff, ohne Waffen, verwendete eine größere Masse von Südpolen, als hier in diesem Sonnensystem zu finden war.

Wahrscheinlich war man schon hinter ihm her.

Man würde ihn nicht rechtzeitig erwischen. Die Antriebe waren zwar stärker, aber man besaß keine Staustrahlfelder. Bevor der stärkere Antrieb ins Gewicht fiel, war der Treibstoff verbraucht . . . vorausgesetzt, er startete rechtzeitig.

Er benützte die Rückstoßpistole, um zur Frachtkapsel seines Schiffs zu schweben. Er mußte fünfzehn Minuten warten, obwohl er die halbe Ladung abgefeuert hatte, dann landete er dort, gebrauchte den Erweicher und schob sich durch die Twinghülle. Er griff nach einer Halterung, ohne hinzusehen, weil er wußte, wo sie war, und suchte nach dem Eingeborenen.

Er griff daneben. Er schwebte im Leeren, während seine Muskeln zu zerlaufen schienen.

Der Eingeborene hatte das Netz aufgerissen und kramte schwach in den Wurzeln. Sein Bauch war eine harte, pralle Wölbung geworden. In seinen Augen war keine Vernunft mehr wahrzunehmen.

Phssthpok untersuchte ihn. Alles in Ordnung. Er trat durch die Wand ins Vakuum und erreichte das schmale Ende des Eises. Dort kroch er wieder hinein, in eine Kammer, die eben groß genug war, ihn aufzunehmen.

Jetzt mußte er ein Versteck finden.

Jetzt ging es nicht mehr darum, dieses Sonnensystem zu verlassen. Er mußte den Rest seines Schiffes aufgeben. Mochten sie die Einpoler in seinem leeren Antriebsabschnitt verfolgen.

Es war so, als wolle er alle seine Kinder in derselben Höhle verstecken, aber das ließ sich nicht ändern. Es hätte schlimmer sein können. Obwohl die Instrumente in der Frachtkapsel nur dazu dienten, diesen Abschnitt aus der Umlaufbahn um einen Planeten herunterfallen zu lassen, würde der Motor selbst – der Schwerkraft-Polarisator – ihn überallhin schaffen, wohin er innerhalb des Schwerkraftbereichs von GO Ziel Nr. 1 wollte. Nur mußte beim erstenmal gleich alles klappen. Und landen konnte er nur ein einzigesmal. Der Polarisator konnte ihn nicht mehr in den Weltraum tragen.

Phssthpok befaßte sich mit der komplizierten Steuerung. Das Kabel am schmalen Eiende löste sich mit einer kleinen Stichflamme. Das Twingmaterial um ihn wurde durchsichtig – und ein wenig porös; in einem Jahrhundert mußte es gefährlich viel Luft verloren haben. Phssthpoks Augen wurden glasig. Die nächsten Schritte verlangten ungeheure Konzentration. Er hatte nicht gewagt, den Eingeborenen zu fesseln oder ihn sonst zu behindern. Damit er nicht zerquetscht wurde, mußte er Innen- und Außenschwerkräfte genau im Gleichgewicht halten. Der Rumpf mit dem Polarisatorfeld mochte bei diesen Beschleunigungen schmelzen.

Der Rest seines Schiffes schwebte auf dem Heck-Bildschirm. Er drehte zwei Knöpfe, und er war verschwunden.

Wohin jetzt?

Er brauchte Wochen, um sich zu verstecken. Auf GO Ziel Nr. 1–3 ging das nicht, bei der vorhandenen Technologie. Aber der Weltraum war zu offen. Er konnte nur einmal landen. Er würde bleiben müssen, wo er herunterkam. Phssthpok suchte den Himmel nach Planeten ab. Der Gasriese mit den Ringen wäre gut gewesen, lag aber hinter ihm. Ein anderer Gasriese vor ihm, mit Monden, war zu weit voraus. Die Eingeborenen mußten schon hinter ihm her sein. Ohne Teleskop würde er sie erst sehen, wenn es zu spät war. *Da!* Der da! Klein, mit geringer Schwerkraft und Spuren einer Atmosphäre. Umgeben von Asteroiden; zuviel Atmosphäre für Vakuumbindung. Bei etwas Glück mußten tiefe Staubseen vorhanden sein. Er hatte keine andere Wahl mehr. Er hoffte, der Eingeborene würde seinesgleichen alarmieren können, wenn es soweit war. Es gefiel ihm nicht.

2

Der Roboter war ein aufrechter Zylinder, eineinviertel Meter hoch, der ruhig in einer Ecke des Leseraums im Struldbrug-Klub schwebte.

Ohne den Blick vom Leseschirm abzuwenden, griff Lucas Garner nach seinem Glas. Es war leer. Er wedelte damit und sagte, immer noch ohne aufzusehen: »Irish Coffee.«

Der Roboter war neben ihm, griff aber nicht nach dem Glas. Statt dessen ertönte ein leiser Gong. Garner hob endlich den Kopf. Leuchtschrift lief quer über den Roboter.

»Bedaure sehr, Mr. Garner. Sie haben Ihren maximalen täglichen Alkoholgehalt überschritten.«

»Gut, stornieren«, sagte Luke. »Verschwinde.«

Der Roboter schwebte in seine Ecke. Luke seufzte – es war zum Teil seine eigene Schuld – und las weiter. Das Band war ein neues medizinisches Werk über ›Der Prozeß des Alterns beim Menschen‹.

Vergangenes Jahr hatte er, wie alle anderen, zugestimmt, als empfohlen worden war, die Servierroboter des Klubs vom Autodoktor überwachen zu lassen. Er konnte es nicht bedauern. Kein einziger Struldbrug war jünger als einhundertvierundfünfzig Jahre, nach Klubvorschrift, und die Altersgrenze stieg alle zwei Jahre um ein Jahr. Sie brauchten den besten und strengsten medizinischen Schutz.

Luke war ein Paradebeispiel. Er stand, mit wenig Begeisterung, vor seinem einhundertfünfundachtzigsten Geburtstag. Seit zwanzig Jahren gebrauchte er ständig einen Reisestuhl. Luke war querschnittsgelähmt, nicht wegen eines Unfalls, der seine Wirbelsäule betroffen hätte, sondern weil seine Spinalnerven an Altersschwäche abstarben. Das Gewebe des zentralen Nervensystems erneuert sich nicht. Der Kontrast zwischen seinen dünnen, schlaffen Beinen und seinen massiven Schultern und Armen und großen Händen ließ ihn ein wenig affenartig erscheinen. Luke war sich dessen bewußt und genoß es.

Kurze Zeit später wurde er wieder gestört. Er hob den Kopf und sah einen Mann auf sich zukommen. Er hatte das lange, schmale Gestell einer Person, die einige Jahre auf einem Streckbett verbracht hat. Arme und Haut unter der Kehle waren negerschwarz, aber Hände und zerfurchtes Gesicht hatten die Schwärze einer sternlosen Nacht, wahre Weltraumschwärze. Sein Haar war ein Kakadukamm, ein schmaler Streifen schneeweißen Teppichs vom Schädeldach bis zum Genick.

Ein Gürtel-Bewohner im Struldbrug-Klub! Kein Wunder, daß Luke Raunen vernommen hatte.

Der Mann blieb vor Lukes Stuhl stehen.

„Lucas Garner?" Stimme und Benehmen wirkten ernst.

»Richtig«, sagte Luke.

Der Mann senkte die Stimme.

»Ich bin Nicholas Sohl, Erster Sprecher für die Politische Sektion des Gürtels. Können wir uns irgendwo unterhalten?«

»Folgen Sie mir«, sagte Luke. Er berührte Tasten an seinem Stuhl, der sich auf einem Luftkissen erhob und durch den Raum schwebte.

Sie zogen sich in eine Nische abseits des Saales zurück.

»Sie haben da allerhand Aufsehen erregt«, meinte Luke.

»So? Warum?« Der Erste Sprecher ließ sich in einem Massagesessel kneten.

»Warum?« sagte Luke erstaunt. »Sie sind ja auf jeden Fall mal nicht annähernd dem Aufnahmealter nahe.«

»Der Aufpasser hat nichts gesagt und mich nur angestarrt.«

»Kann ich mir denken.«

»Wissen Sie, was mich zur Erde geführt hat?«

»Ich habe es gehört. Ein fremdes Lebewesen ist im System.«

»Das sollte eigentlich geheim bleiben.«

»Ich war früher bei der UN-Polizei. Erst vor zwei Jahren bin ich in den Ruhestand getreten. Beziehungen habe ich nach wie vor.«

»Das hat mir Lit Shaeffer erzählt.« Nick öffnete die Augen. »Verzeihen Sie, wenn ich unhöflich bin. Ich kann eure alberne Schwerkraft in einer Liege aushalten, aber ich laufe nicht gerne herum.«

»Dann ruhen Sie sich aus.«

»Danke. Garner, bei der UNO scheint niemand zu begreifen, wie dringend die Sache ist. Ein Outsider ist im System. Er hat einen Gürtel-Bewohner entführt, seinen Interstellar-Antrieb abgeworfen, und wir wissen beide, was das bedeutet.«

»Er will bleiben.«

»Genau. Die Schleppkapsel muß eine Wiedereintritts-Kapsel gewesen sein. Zweieinhalb Stunden, nachdem Brennan und der Outsider zusammentrafen, verschwand dieser Abschnitt.«

»Teleportation?«

»Nein, Finagle sei Dank. Wir haben einen Filmstreifen mit verschwommenen Spuren. Die Beschleunigung war riesig.«

»Verstehe. Warum kommen Sie zu uns?«

»Wie? Garner, das betrifft die ganze Menschheit!«

»Diese Art von Spielchen behagt mir nicht, Nick. Der Outsider war Sache der Menschheit in der Sekunde, als Sie ihn entdeckt haben. Sie sind nicht zu uns gekommen, bevor er mit seinem Zaubertrick aufgewartet hat. Warum nicht? Weil Sie dachten, die fremden Wesen würden mehr von der Menschheit halten, wenn sie zuerst dem Gürtel-Bewohner begegneten.«

»Kein Kommentar.«

»Warum kommen Sie jetzt daher? Wenn ihn eure Teleskope nicht finden, findet ihn niemand.«

Nick schaltete den Massagestuhl ab und setzte sich auf, um den alten Mann anzustarren. Garners Gesicht war das Gesicht der Zeit, eine lockere Maske, die das uralte Böse bedeckte. Nur Augen und Zähne wirkten jung, und die Zähne waren neu, weiß, scharf und ungereimt.

Aber er redete wie ein Gürtel-Bewohner, direkt.

»Lit hat gesagt, Sie seien klug. Das ist das Problem, Garner. Wir haben ihn gefunden.«

»Das Problem sehe ich immer noch nicht.«

»Er kam am Ende seines Fluges durch eine Schmuggler-Falle. Wir suchten einen, der mit abgeschaltetem Antrieb durch bevölkerte Gebiete fliegt. Ein Wärmesensor fand den Outsider, eine Kamera konnte Beschleunigung, Position, Geschwindigkeit feststellen. Die Beschleunigung war enorm, Dutzende G. Es steht praktisch fest, daß er unterwegs zum Mars ist.«

»Zum Mars?«

»Zum Mars, zu einer Umlaufbahn dort, oder zu den Monden. Wäre er schon in einer Umlaufbahn, hätten wir ihn bereits entdeckt. Dasselbe gilt für die Monde, die beide über Beobachtungsstationen verfügen. Nur gehören sie der UNO –«

Luke begann zu lachen. Nick schloß mit gequälter Miene die Augen.

Der Mars war der Müllplatz des Systems. Es gab ja überhaupt wenige nützliche Planeten im Sonnensystem; die Erde und Merkur und die Jupiteratmosphäre, das war eigentlich alles. Wichtig waren die Asteroiden. Aber als bitterste Enttäuschung hatte sich der Mars erwiesen. Eine nahezu luftleere Wüstenei, bedeckt mit Kratern und Meeren von ultrafeinem Staub, die Atmosphäre fast zu dünn, um giftig genannt werden zu können. Irgendwo im Solis Lacus gab es einen verlassenen Stützpunkt, die Überreste des dritten und letzten Versuchs der Menschheit, den Rostplaneten zu erobern. Niemand wollte ihn haben.

Bei Abschluß des Vertrages mit dem Gürtel, nachdem bewiesen worden war, daß die Erde den Gürtel dringender brauchte als dieser sie, hatte die UNO die Erde, den Mond, Titan, Rechte in den Saturnringen, Schürf- und Forschungsrechte auf Merkur, Mars und seinen Monden behalten dürfen.

Mars war nur eine Dreingabe. Bis jetzt hatte er nicht gezählt.

»Sie sehen das Problem«, sagte Nick und schaltete den Massagesessel wieder ein.

»Wenn man bedenkt, wie der Gürtel uns ständig abweist, kann man es der UNO nicht übelnehmen, wenn sie sich revanchiert«, meinte Luke. »Wir müssen ein paar hundert Beschwerden im Archiv haben.«

»Sie übertreiben. Seit dem Vertrag haben wir an die sechzig Verstöße registriert, die meisten zugelassen und bezahlt von der UNO.«

»Und was soll die UNO tun?«

»Wir brauchen Zugang zu den Forschungsunterlagen über den Mars. Mensch, Garner, die Kameras auf Phobos zeigen vielleicht schon, wo er gelandet ist! Wir bitten um Genehmigung, den Mars auf niedriger Umlaufbahn beobachten zu dürfen. Wir brauchen eine Landeerlaubnis.«

»Was haben Sie bis jetzt vorliegen?«

»Es gibt nur zwei Dinge, mit denen man einverstanden ist. Wir können suchen, soviel wir wollen – vom Weltraum aus. Die lächerlichen Unterlagen einzusehen, kostet uns glatt eine Million Mark!«

»Bezahlen Sie.«

»Das ist Raub.«

»So etwas sagt ein Gürtel-Bewohner? Warum habt Ihr keine Unterlagen über den Mars?«

»Wir waren nie interessiert. Wozu?«

»Und was ist mit abstraktem Wissen?«

»Ein anderer Ausdruck für nutzlos.«

»Weshalb wollen Sie dann so dringend nutzloses Wissen, daß Sie eine Million Mark dafür bezahlen?«

Nick grinste ebenfalls.

»Es ist trotzdem Raub. Woher, in Finagles Namen, hat die Erde gewußt, daß man über den Mars Bescheid wissen müßte?«

»Das ist das Geheimnis des abstrakten Wissens. Man gewöhnt sich daran, alles über alles erfahren zu wollen. Früher oder später kann man das meiste gebrauchen. Wir haben Milliarden für die Erforschung des Mars ausgegeben.«

»Ich genehmige die Zahlung von einer Million Mark an die Universalbibliothek der UNO. Wie landen wir?« Nick schaltete den Stuhl ab.

»Ich – habe da eine Idee. Können Sie ein Zweimannschiff fliegen, Modell Starfire?«

»Sicher. Die Steuerung ist überall gleich. Wir benützen schließlich auch Antriebsaggregate, die in England hergestellt werden.«

»Sie sind für einen Dollar pro Jahr als mein Pilot angestellt. In sechs Stunden steht ein Schiff bereit.«

»Sie sind verrückt.«

»Nein. Passen Sie auf, Nick. Jeder sogenannte Diplomat in der UNO weiß, wie wichtig es ist, den Outsider zu finden. Aber sie können nichts unternehmen. Es liegt nicht an einer Revanche dem Gürtel gegenüber. Das ist es nur zum Teil. Es liegt an der Trägheit. Die UNO ist eine Weltregierung. Sie ist ihrer Natur nach schwerfällig, weil sie das Leben von achtzehn Milliarden Menschen zu verwalten hat. Schlimmer noch, die UNO besteht aus einzelnen Nationen. Die Nationen sind heutzutage nicht sehr mächtig. Früher oder später werden sogar ihre Namen vergessen sein, und ich weiß nicht einmal, ob das gut ist ... aber heute kann nationales Prestige noch im Weg stehen. Sie würden Wochen brauchen, bis man sich da einigt.

Dagegen verbietet kein Gesetz, daß ein UN-Bürger fliegt, wohin er will, und anheuert, wen er möchte. Eine ganze Anzahl unserer Rund-um-den-Mond-Piloten sind Gürtel-Bewohner.«

Nick schüttelte den Kopf so, als wolle er klarer denken.

»Garner, ich komme nicht mit. Sie können nicht annehmen, daß wir den Outsider mit einem Zweimannschiff finden. Selbst ich weiß Bescheid über den Marsstaub. Er hat sich in einem der Staubmeere versteckt, seziert Jack Brennan, und man kann nicht an ihn heran, wenn man nicht die Wüsten Zentimeter für Zentimeter mit Tiefenradar absucht.«

»Richtig. Aber wenn die Politiker begreifen, daß Sie angefangen haben, den Mars abzusuchen, was werden sie dann wohl machen? Ihre Anstellung als Pilot ist klar als Formalität zu erkennen. Angenommen, wir finden den Outsider. Dem Gürtel würde das gutgeschrieben werden.«

Nick schloß die Augen und dachte nach. Er war an diese Art von Zirkellogik nicht gewöhnt. Aber Garner schien recht zu haben.

»Ich brauche also einen Flachländer, der mich als Piloten anstellt. Warum nicht Sie?«

»Ich kann gleich ein Schiff besorgen. Ich habe Beziehungen.«

»Okay. Besorgen Sie das Schiff und einen harten Burschen dazu. Verkaufen Sie ihm das Schiff. Dann stellt er mich als Piloten an, ja?«

»Richtig. Aber ich mache es nicht.«

»Warum nicht? Sie denken doch nicht ernsthaft daran mitzukommen?«

Luke nickte.

Nick lachte.

»Wie alt sind Sie?«

»Zu alt, um meine restlichen Jahre im Struldbrug-Klub zu vergeuden. Geben Sie mir die Hand, Nick.«

»Mph? Klar, aber – Auah! Na schön, verdammt, Sie haben Kraft in den Händen. Ihr Flachländer habt ohnehin alle vielzuviel Muskeln.«

»Verzeihung. Ich wollte nur beweisen, daß ich nicht hinfällig bin.«

»Akzeptiert. Jedenfalls nicht in den Händen.«

»Und unsere Beine gebrauchen wir nicht. Wir fahren und fliegen überall.«

»Sie sind verrückt. Und wenn Ihr Herz versagt?«

»Das wird mich lange überleben. Es ist eine Prothese.«

»Sie sind verrückt. Ihr seid alle verrückt. Das kommt davon, wenn man am Grund eines Schwerkraftschachts lebt. Die Schwerkraft zieht einem das Blut aus dem Hirn.«

»Ich zeige Ihnen ein Telefon. Sie müssen Ihre Million bezahlen, bevor die UNO dahinterkommt, was wir vorhaben.«


Phssthpok träumte. Er hatte die Frachtkapsel tief unter dem flüssigen Staub des Solis Lacus-Gebiets verborgen. Er zeigte sich als ockerfarbene Wand vor dem Twing-Rumpf. Sie waren hier in Sicherheit, solange das Lebenssystem funktionierte: eine lange, lange Zeit.

Phssthpok blieb im Frachtraum, wo er seinen Gefangenen beobachten konnte. Nach der Landung hatte er alle Maschinen in der Kapsel auseinandergenommen, um Reparaturen und Veränderungen vornehmen zu können. Jetzt beobachtete er nur noch den Gefangenen.

Er brauchte wenig Pflege. Er entwickelte sich beinahe normal. Er würde ein Monstrum werden, aber vielleicht kein Krüppel.

Phssthpok lag auf seinen Wurzeln und träumte.

In einigen Wochen würde er seine lange, lange Aufgabe bewältigt haben ... oder gescheitert sein. Auf jeden Fall konnte er aufhören zu essen. Er war für seinen Geschmack lange genug am Leben gewesen. Bald würde er enden, wie er vor dreizehnhundert Jahren Schiffszeit beinahe geendet hätte, im Kern der Galaxis ...


Er hatte Licht über dem Tal Pitschok aufflammen sehen und gewußt, daß er zum Untergang verurteilt war.

Phssthpok war seit sechsundzwanzig Jahren Protektor gewesen. Seine verbliebenen Kinder im strahlungsverseuchten Tal waren zwischen sechsundzwanzig und fünfunddreißig Jahre alt; ihre eigenen Kinder im Alter bis zu vierundzwanzig. Seine Lebensspanne würde jetzt davon abhängen, wer die Bombe überlebt hatte. Er war sofort ins Tal zurückgekehrt, um das festzustellen.

Nicht viele Fortpflanzer waren im Tal übriggeblieben, aber die noch lebenden mußten geschützt werden. Phssthpok und die übrigen Pitschok-Familien schlossen Frieden mit der Maßgabe, daß sie und ihre sterilen Fortpflanzer das Tal bis zu ihrem Tod besitzen sollten, worauf es an die Ostmeer-Allianz zurückfallen würde. Radioaktive Strahlung ließ sich zum Teil neutralisieren. Die Pitschok-Familien taten es. Sie ließen das Tal und die Überlebenden in den Händen eines der Ihrigen zurück und zerstreuten sich.

Von den mehreren überlebenden Fortpflanzern waren alle untersucht und für steril befunden worden, steril insoweit, als ihre Kinder Mutanten werden würden. Sie würden anders riechen. Ohne Protektor, der sich um sie kümmerte, würden sie bald sterben.

Für Phssthpok war die wichtigste Person unter seinen überlebenden Nachkommen die jüngste, Ttuss, weiblich, zwei Jahre alt.

Er hatte ein zeitliches Limit. In zweiunddreißig Jahren würde Ttuss das Alter des Wandels erreichen, ein intelligentes Wesen werden, ein stark gepanzertes, mit einer Haut, an der ein Kupfermesser abprallte, und der Kraft, das Zehnfache ihres Gewichts zu heben. Sie würde ideal für das Kämpfen geeignet sein, aber nichts zu kämpfen haben.

Sie würde aufhören zu essen. Sie würde sterben, und Phssthpok würde aufhören, zu essen. Ttuss' Lebensspanne war seine eigene.

Aber manchmal konnte ein Protektor die ganze Pak-Art als seine Nachkommenschaft annehmen. Wenigstens würde er jede Gelegenheit haben, einen Lebenszweck zu finden. Für einen kinderlosen Protektor herrschte stets Waffenruhe, weil er keinen Grund zum Kämpfen hatte. Und es gab einen Ort, wohin er gehen konnte.

Die Bibliothek war so alt wie die radioaktive Wüste ringsherum. Das wahre Alter blieb Phssthpok immer verborgen.

Aber die Abteilung über Raumfahrt war drei Millionen Jahre alt. Er verbrachte zweiunddreißig Jahre in einem riesigen Raum, einem Labyrinth von Bücherregalen vom Boden bis zur Decke. An verschiedenen Ecken standen Behälter mit Wurzeln vom Baum des Lebens, die von Angestellten immer wieder gefüllt wurden. Man brachte auch anderes, Fleisch, Gemüse, Obst, was für kinderlose Protektoren verfügbar war. Der Baum des Lebens war die perfekte Nahrung für einen Protektor, aber er konnte beinahe alles essen.

Und da waren Bücher. Nahezu unzerstörbar, diese Bücher. Sie wären wie flatternde Meteore aus dem Herzen einer Wasserstoffbombenexplosion hervorgegangen. In diesem Raum befaßten sich alle Bände mit dem Weltraum und der Raumfahrt.

Es gab Abhandlungen über die Philosophie der Raumfahrt. Ein Grundsatz schien festzustehen: eines Tages mußten die Pak eine neue Heimat finden; deshalb trug jeder Beitrag zur Technologie der Raumfahrt zur Unsterblichkeit der Art bei. Es gab Aufzeichnungen über interstellare und interplanetarische Flüge, Zehntausende davon, beginnend mit einer phantastischen Reise, die eine Gruppe vor fast drei Millionen Jahren unternommen hatte, mit einem ausgehöhlten Asteroiden-Gesteinsbrocken in die galaktischen Spiralarme fliegend, auf der Suche nach gelben Zwergsternen. Es gab technische Texte über alles, was mit dem Weltraum zusammenhing: Raumfahrzeuge, Astrogation, Ökologie, Miniaturisierung, Nuklear- und Subnuklearphysik, Kunststoffe, Schwerkraft und ihre Anwendung, Astronomie, Astrophysik, Aufzeichnungen über Rohstoffausbeutung in diesem und benachbarten Systemen, Zeichnungen über einen hypothetischen Bussard-Staustrahlantrieb, das nicht abgeschlossene Werk eines Protektors, der plötzlich den Appetit verloren hatte, Ionenantriebspläne, Plasmatheorie, Lichtsegel ...

Er arbeitete alles durch. In achtundzwanzig Jahren las er alle Bücher in der Abteilung Astronautik und hatte noch immer nichts gefunden, was dringend getan werden mußte.

Ein Wanderungsprojekt beginnen? So dringend war es einfach nicht. Die Pak-Sonne hatte noch mindestens Hunderte

Jahrmillionen zu leben ... länger als die Pak, vermutlich, angesichts der ständigen Kriege.

Um seinen Lebenswillen zu erhalten, würde er wissen müssen, daß alle Pak etwas von seiner Arbeit hatten. Wenn es keine neuen Entdeckungen gab, wenn sein Vertrauen erlosch, war es auch mit seinem Hunger vorbei.

Es war erschreckend, nicht hungrig zu sein. In den letzten Jahrzehnten war es ein paarmal vorgekommen. Jedesmal zwang er sich dazu, die Berichte aus dem Tal zu lesen. Der letzte Bericht teilte ihm stets mit, daß Ttuss bei der Absendung noch am Leben gewesen war. Langsam stellte sich sein Appetit wieder ein. Ohne Ttuss wäre er schon tot gewesen.

Eines Tages war der Appetit ganz verschwunden. Die Briefe aus dem Tal nützten nichts; er glaubte ihnen nicht. Er dachte daran, ins Tal zurückzukehren, wußte aber, daß er unterwegs verhungern würde. Als er seiner Sache sicher war, setzte er sich an eine Wand, der letzte in einer Reihe von Protektoren, die auch nicht aßen, die auf den Tod warteten.

Eine Woche verging. Die Bibliothekare entdeckten, daß die zwei ersten in der Reihe tot waren. Sie hoben sie hoch, ein Paar Skelette in vertrockneter, runzliger Lederpanzerung, und trugen sie fort.

Phssthpok erinnerte sich an ein Buch.

Er besaß noch die Kraft, es zu erreichen.

Er las gründlich, das Buch in der einen, eine Wurzel in der anderen Hand. Dann aß er die Wurzel ...

Das Schiff war ein annähernd zylindrischer Asteroid gewesen, verhältnismäßig reines Nickel-Eisen mit Zwischenschichten aus Gestein, etwa sechs Meilen lang und vier Meilen breit. Eine Gruppe kinderloser Protektoren hatte ihn mit Sonnenspiegeln ausgehöhlt und ein kleines Lebens- und Steuersystem eingebaut, eine größere Kaltschlafkammer, einen Brutreaktor und Generator, einen lenkbaren Ionenantrieb, und einen riesigen Cäsiumtank. Sie hatten die Protektoren einer großen Familie ausrotten müssen, um die Kontrolle über tausend Fortpflanzer zu erlangen. Mit zwei Protektoren als Piloten und weiteren siebzig im Kaltschlaf, zusammen mit den tausend Fortpflanzern, mit einer sorgfältig zusammengesetzten Auswahl der nützlichen Lebensformen der Pak-Welt, machten sie sich auf den Weg in einen Spiralarm der Galaxis.

Obwohl ihr Wissen um drei Millionen Jahre dürftiger war als das Phssthpoks, hatten sie gute Gründe dafür, die fernen Bereiche der Galaxis zu wählen. Dort bestand größere Aussicht, gelbe Sonnen zu finden, und einen Doppelplaneten in der richtigen Entfernung. Störungen durch im Mittel ein halbes Lichtjahr voneinander entfernten Sternen machten Doppelplaneten im galaktischen Kern zu einer Seltenheit, und es gab Gründe für die Annahme, daß nur ein übergroßer Mond einer Welt die Atmosphäre verschaffen konnte, in der Pak-artiges Leben existieren konnte.

Ein Ionenantrieb und eine bestimmte Menge Cäsium... Sie rechneten mit langsamem Vorankommen, und so war es auch. Bei zwölftausend Meilen in der Sekunde relativ zur Pak-Sonne schwebten sie dahin. Sie feuerten eine Lasernachricht zurück zur Pak-Sonne, um der Bibliothek mitzuteilen, daß der Ionenantrieb funktionierte. Die Pläne lagen irgendwo in der Bibliothek. Phssthpok war nicht interessiert. Er ging zum letzten Abschnitt über, der fast eine halbe Million Jahre jünger war.

Es war die Aufzeichnung einer Lasermitteilung, die zerrissen und verstümmelt ins Pak-System gelangt war, in einer Sprache, die es nicht mehr gab. Die Bibliothekare übersetzten sie und archivierten das Material. Seither mußte es hundertfach übersetzt worden sein. Hunderte von Suchenden wie Phssthpok mußten es gelesen und sich gewundert haben...

Aber Phssthpok las es ganz genau.

Sie waren tief in die galaktischen Spiralarme hineingeflogen. Die Hälfte der Protektoren war am Ende der Reise tot, gestorben nicht an Hunger oder Gewalttat, sondern am Alter. Das war so ungewöhnlich, daß eine genaue medizinische Beschreibung mitgeliefert worden war. Sie waren an gelben Sonnen ohne Planeten vorbeigekommen, an anderen, deren Welten ausschließlich Gasriesen waren. Gelbe Sonnen waren vorbeigezogen, deren Welten bewohnbar sein mochten, aber alle waren vom Kurs zu weit entfernt, um mit der Cäsiumreserve erreicht werden zu können. Der galaktische Staub und die Schwerkraft der Galaxis hatten ihr seltsames Fahrzeug gebremst und ihre Manövrierreserven erhöht. Der Himmel um sie war dunkel geworden, als Sonnen immer seltener auftauchten.

Sie hatten einen Planeten gefunden, auf dem es Leben gab, manches feindlich, aber zu bewältigen. Es gab fruchtbaren Boden. Die übriggebliebenen Protektoren weckten die Fortpflanzer und schickten sie in die Wälder hinaus, damit sie fruchtbar seien und sich vermehrten. Sie pflanzten Feldfrüchte, gruben Minen, bauten Maschinen, die Minen gruben und die Felder bestellten ...

Frühling und Sommer brachten Ernte – und eine Katastrophe. Mit dem Baum des Lebens war etwas nicht in Ordnung.

Die Kolonisten begriffen nicht, was geschehen war. Gewachsen war etwas. Es sah aus und schmeckte nach Baum des Lebens, aber der Geruch war anders. Was die Wirkung auf Fortpflanzer und Protektoren anging, hätten sie ebensogut Unkraut essen können.

In den Weltraum konnten sie nicht zurückkehren. Der restliche Vorrat an Wurzeln stellte eine starr festgelegte Zahl von Protektor-Arbeitsstunden dar. Sie konnten ihre Cäsiumtanks auffüllen, sie mochten in der verbleibenden Zeit sogar eine plutoniumerzeugende Technologie entwickeln, aber eine andere Pak-ähnliche Welt finden und erreichen – nein. Und selbst wenn sie sie erreichten, welche Garantie gab es dafür, daß dort der Baum des Lebens wachsen würde?

Ihre letzten Jahre hatten sie damit verbracht, eine so starke Laserquelle zu bauen, daß sie die Staubwolken durchdrang, die sie vom galaktischen Kern verbargen. Sie wußten nicht, daß sie Erfolg gehabt hatten. Sie wußten nicht, was mit der Ernte geschehen war; sie verdächtigten die Dürftigkeit einer bestimmten Wellenlänge des Sternenlichts oder des Sternenlichts an sich, obwohl ihre Experimente dazu nichts erbracht hatten. Sie lieferten genaue Angaben über die Blutlinien ihrer Fortpflanzer-Passagiere, in der Hoffnung, daß die eine oder andere überlebt haben mochte. Und sie baten um Hilfe.

Vor zweieinhalb Millionen Jahren.

Phssthpok saß am Wurzelbehälter, aß und las. Er hätte gelächelt, wenn sein Gesicht dafür eingerichtet gewesen wäre. Schon konnte er sehen, daß seine Mission alle kinderlosen Protektoren der Welt anging.

Zweieinhalb Millionen Jahre lang hatten diese Fortpflanzer ohne den Baum des Lebens existiert. Ohne die Möglichkeit, den Wandel zum Protektor zu vollziehen. Dumpfe Tiere.

Und allein Phssthpok wußte, wie er sie finden konnte.

»Darf man rauchen?« sagte Luke, als Nick das Schiff auf den Autopiloten geschaltet hatte. Er war mit der ›U Thant‹ nicht unzufrieden. Ein Fahrzeug der Flachland-Marine mit Stromlinie, gewiß, aber die Ausstattung schien zu genügen.

»Warum nicht? Sie werden doch nicht fürchten, jung sterben zu müssen.«

»Hat die UNO das Geld schon?«

»Sicher, muß vor Stunden überwiesen worden sein.«

»Gut. Rufen Sie an, melden Sie sich und verlangen Sie alles, was über den Mars vorhanden ist. Man soll es auf den Bildschirm geben, die Laserübertragung wird bezahlt. Das sind zwei Fliegen mit einem Schlag.«

»Wieso?«

»Damit erfahren sie, wohin wir fliegen.«

»Richtig – Luke, glauben Sie wirklich, daß man dann etwas unternimmt? Ich weiß, wie schwerfällig die UNO ist.«

»Sie müssen das anders betrachten, Nick. Wie sind Sie dazu gekommen, den Gürtel zu vertreten?«

»Bei den Tests ergab sich, daß ich einen hohen Intelligenzquotienten habe und gerne Leute herumkommandiere. Danach habe ich mich hochgearbeitet.«

»Wir wählen.«

»Das sind doch Beliebtheitswettbewerbe.«

»Es klappt aber. Nachteile gibt es allerdings. Bei welcher Regierungsform nicht? Jeder Sprecher in der UNO vertritt eine Nation – einen Teil der Welt. Er hält ihn für den besten, bevölkert von den besten Menschen – sonst wäre er nicht gewählt worden. Zwanzig Leute glauben also, sie allein wüßten genau, was man wegen dem Outsider unternehmen sollte, und keiner ordnet sich den anderen unter. Prestigesache. Normalerweise führt das mit der Zeit zu einem Kompromiß. Wenn sie aber merken, daß ein Zivilist und einer vom Gürtel vor ihnen beim Outsider sein könnten, beeilen sie sich. Verstehen Sie?«

»Nein.«

»Ach, rufen Sie an.«

Einige Zeit später erreichte sie ein Nachrichtenstrahl. Sie begannen die gesammelten Informationen der Erde über den Mars zu studieren. Es war viel Material und umfaßte Jahrhunderte. Auf einmal sagte Nick: »Warum müssen wir uns das alles angucken? Sie sagen doch selbst, daß wir nur bluffen.«

»Ich sage, daß wir eine Suchaktion betreiben, falls Sie nichts Besseres zu tun haben. Am besten blufft es sich mit vier Assen.«

Nick schaltete den Schirm ab. Das Material war auf Band genommen; sie versäumten nichts.

»Kommen Sie, diskutieren wir lieber. Ich habe eine Million Mark für das Zeug bezahlt, und als sparsamer Mensch fühle ich mich beinahe gezwungen, es zu verwenden. Aber seit einer Stunde haben wir uns mit dem Fall Müller befaßt, und das stammt alles aus Gürtel-Unterlagen!«

Vor elf Jahren hatte ein Gürtel-Bewohner namens Müller versucht, die Marsmasse für einen drastischen Kurswechsel einzusetzen. Er war mit seinem Schiff zu nah herangekommen und hatte landen müssen. Das wäre kein Problem gewesen. Ein Zolltrupp hätte ihn geholt. Keine Eile ... bis Müller von Marsbewohnern ermordet worden war.

Marsbewohner waren bis dahin eine Legende gewesen. Müller mußte entgeistert gewesen sein. In einem Beinahe-Vakuum erstickend, war es ihm gelungen, ein halbes Dutzend von den Wesen zu töten, indem er mit einem Wassertank in alle Richtungen Tod verspritzte.

»Nicht alles. Wir waren diejenigen, die diese Marsleichen untersucht haben«, sagte Garner. »Ich frage mich übrigens immer noch, weshalb der Outsider sich den Mars ausgesucht hat. Vielleicht weiß er Bescheid über Marsbewohner. Vielleicht will er mit ihnen in Verbindung treten.«

»Es soll ihm vergönnt sein.«

»Sie verwenden Speere. Für mich deutet das auf Intelligenz. Wir wissen nicht, wieviel Intelligenz, weil noch niemand versucht hat, mit einem Marsbewohner zu sprechen. Sie könnten jede erdenkliche Art von Zivilisation haben, tief unter dem Staub.«

»Ein zivilisiertes Volk, ja?« knurrte Nick. »Sie haben Müllers Zelt aufgeschlitzt! Ihm die Luft entzogen!« Im Gürtel gab es kein schlimmeres Verbrechen.

»Ich habe nicht gesagt, daß sie freundlich gesinnt sind.«

Der Marsstaub ist einzigartig.

Seine Einzigartigkeit ist das Ergebnis der Vakuumbindung. Vakuumbindung war einmal das Schreckgespenst der Weltraumindustrie. Kleine Raumsondenteile, die in Luft mühelos übereinanderglitten, verschweißten sich im Vakuum miteinander, sobald das von ihren Oberflächen absorbierte Gas entwichen war. Die Vakuumbindung verschmolz Teile in den ersten amerikanischen Satelliten und in den ersten russischen interplanetarischen Sonden miteinander. Die Vakuumbindung verhindert, daß der Mond klaftertief mit Meteorstaub bedeckt ist. Die Partikel verschmelzen mit dem Gestein.

Aber auf dem Mars gibt es gerade genug Atmosphäre, um diesen Prozeß zu verhindern, und bei weitem nicht genug, um Meteoriten aufzuhalten. Fast der ganze Planet ist von Meteorstaub bedeckt. Meteore können den Staub zu Kratern schmelzen, aber er bindet sich nicht, obwohl er so dünn ist, daß er fließt wie dickflüssiges Öl.

»Der Staub wird unser größtes Problem sein«, meinte Luke. »Der Outsider mußte sich nicht einmal eingraben. Er kann irgendwo auf dem Mars versunken sein.«

Nick schaltete den Lasersender ab.

»Er könnte sich im ganzen System versteckt haben, aber ausgesucht hat er sich den Mars. Er muß einen Grund dafür gehabt haben. Vielleicht ist es etwas, das er unter dem Staub nicht tun kann. Dann sitzt er in einem Krater oder auf einem Berg.«

»Dann hätte man ihn gefunden.« Luke ließ eine Aufnahme

aus dem Autopiloten-Speicher kommen. Sie zeigte undeutlich ein metallenes Ei, das kleinere Ende spitz. Es flog mit dem größeren Ende voraus und schien von Raketen angetrieben zu sein, aber man sah keine Ausstoßflamme.

»Groß genug, um vom Weltraum aus gesehen zu werden und mit dem silbernen Rumpf leicht erkennbar«, sagte Luke.

»Ja. Also gut, er ist unter dem Staub. Das erfordert eine Menge von Schiffen mit Tiefenradar, und selbst dann gibt es keine Garantie, daß er gefunden wird.« Nick fuhr mit der Hand über seine kahle Kopfhaut. »Wir könnten gleich aufgeben. Ihre Flachland-Regierung hat sich endlich aufgerafft und uns ein paar Schiffe geschickt. Ich habe den Eindruck gewonnen, daß sie von unserer Mitwirkung nicht begeistert sind.«

»Ich möchte weitermachen. Was denken Sie?«

»Meinetwegen. In den Ferien gehe ich gern auf die Jagd.«

»Wo würden Sie zu suchen anfangen?«

»Weiß ich nicht. Der tiefste Staub hier ist im Tractus Albus.«

»Er wäre dumm, wenn er sich die tiefste Stelle aussuchen würde. Er wird sich den Ort ganz willkürlich ausgesucht haben.«

»Haben Sie eine andere Idee.«

»Solis Lacus.«

»– Oh. Der alte Flachländer-Stützpunkt. Nicht schlecht. Vielleicht braucht er für Brennan ein Lebenssystem.«

»Daran habe ich nicht einmal gedacht. Wenn er dort überhaupt etwas braucht – menschliche Technik, Wasser, was auch immer – gibt es auf dem ganzen Planeten nur einen einzigen Ort dafür. Wenn er da nicht ist, können wir wenigstens ein paar Staubboote holen –«

»›Blue Ox‹ ruft ›U Thant‹. Hier ›Blue Ox‹, wir rufen ›U Thant‹.«

Nick stellte den Autopiloten auf Peilung ein.

»Wird ein paar Minuten dauern«, meinte er. »Möchte nur wissen, was mit Brennan geschehen ist.«

»Können wir das Tiefenradargerät hier ausbauen?«

»Hoffentlich. Ich wüßte nicht, was wir als Detektor sonst nehmen sollten.«

»Einen Metalldetektor. Es muß einer an Bord sein.«

»Hier Nicholas Sohl an Bord der ›U Thant‹. Ich rufe die ›Blue Ox‹. Was gibt es Neues? Wiederhole, hier –«

Einar Nilsson schaltete auf Sendung.

»Einar Nilsson, Kapitän der ›Blue Ox‹. Wir haben das Outsiderschiff erreicht. Tina Jordan wird an Bord gehen. Ich schalte um zu Tina.« Er tat es und lehnte sich zurück, um das von Tinas Helmkamera übertragene Bild zu beobachten.

Das Outsiderschiff sah verlassen aus. In der Linse des großen Augapfels sah Tina Jordan keine Bewegung.

»Hier Tina. Ich befinde mich vor einer offenkundigen Steuerkapsel. Durch das Glas ist eine Beschleunigungsliege zu sehen, umgeben von Steuerorganen. Der Outsider muß von hominidem Einschlag sein. Die Antriebskapsel ist zu heiß für eine Annäherung. Die Steuerkapsel ist eine glatte Kugel mit einem großen Bullauge und Kabeln, die sich in beide Richtungen erstrecken. ›U Thant‹, Sie müßten das alles sehen.«

Sie schwebte langsam um den großen Augapfel herum.

»Ich kann keine Luftschleuse erkennen. Ich muß aufschweißen.«

»Durch das Fenster. Nicht, daß etwas explodiert«, sagte Einars Stimme in ihrem Ohr.

Das durchsichtige Material hatte einen Schmelzpunkt von 2000° Kelvin, und ein Laser kam offensichtlich nicht in Frage. Tina verwendete einen Hitzepunkt und beschrieb damit unaufhörlich einen Kreis. Mit der Zeit zermürbte sie das Material.

»Ich sehe Nebel durch die Risse«, sagte sie. »Ah, jetzt bin ich durch.«

Mit der letzten Luft schwebte eine ein Meter im Durchmesser messende durchsichtige Scheibe davon. Tina fing sie auf und schob sie zur ›Blue Ox‹ hinüber, wo man sie später untersuchen konnte.«

Sie wartete eine Viertelstunde, bis der Rand ausgekühlt war, dann stieg sie hinein.

»Ich bin in einer kleinen Steuerkabine«, sagte sie und drehte sich um die eigene Achse, damit die Kamera alles erfassen konnte. »Sehr klein. Die Steuerkonsole ist beinahe primitiv komplex, so komplex, daß ich annehme, der Outsider hatte keinen Autopiloten. Kein Mensch könnte alle diese Steuerfunktionen bewältigen. Ich sehe nicht mehr als eine Liege und außer mir keine fremden Wesen.

Da ist ein Behälter voll Süßkartoffeln, so sehen sie jedenfalls aus, neben der Liege.« Sie versuchte die Tür in der Rückwand zu öffnen, mußte wieder den Hitzepunkt verwenden. Sie wartete, als der Raum sich mit dichtem Nebel füllte, dann ging sie hinein.

»Der Raum ist etwa so groß wie die Kontrollkabine. Es scheint sich um einen Turnraum für freien Fall zu handeln.« Sie versuchte, eines der Geräte zu betätigen, aber die Kraft reichte nicht. Sie nahm die Kamera ab, befestigte sie an der Wand und versuchte es erneut. »Entweder mache ich das falsch, oder der Outsider könnte mich als Zahnstocher benützen. Mal sehen, was es sonst noch gibt.« Sie schaute sich um. »Komisch«, sagte sie nach einer Weile.

Sonst gab es nichts. Nur die Tür zur Steuerkabine.

Eine zweistündige Durchsuchung, bei der auch Nate La Pan mithalf, bestätigte ihren Fund. Das Lebenssystem bestand aus:

Einer Steuerkabine von der Größe, wie sie bei Einstufenschiffen üblich war.

Einem Trimm-Raum, genauso groß.

Einem Behälter voll Wurzeln.

Einem riesigen Lufttank. Es gab keine Einrichtungen, die bei einem Defekt das Entweichen der Luft verhinderten. Er war leer. Er mußte fast leer gewesen sein, als das Schiff das Sonnensystem erreicht hatte.

Überaus komplizierte Luftreinigungsanlagen, immer und immer wieder repariert.

Ebenso komplizierte Anlagen für die Verwertung von flüssigem und festem Abfall.

Es war unfaßbar. Der einzelne Outsider hatte offenbar in diesen beiden kleinen Räumen gelebt, nur ein einziges Nahrungsmittel besessen, keine Schiffsbibliothek zur Unterhaltung, keinen Computer-Autopiloten, der ihn auf Kurs hielt, seinen Treibstoffvorrat überwachte und ihn vor Meteoriten schützte. Dabei hatte der Flug mindestens Jahrzehnte gedauert. Der riesige Lufttank mußte nur dazu gedient haben, Luft zu ersetzen, die durch Osmose an den Wänden ausgetreten war!

Einar holte die beiden auf die ›Blue Ox‹ zurück und ließ sich ein paar Wurzeln zur Analyse mitbringen.

Nick riet der ›Blue Ox‹, das Schiff noch einmal genau zu durchsuchen, die Luft zu analysieren, das Bullaugen›glas‹, die Wurzeln.

»Wenn ihr alles untersucht habt, könnt ihr euch überlegen, wie ihr das Schiff heimschleppt. Bleibt dabei und haltet den Antrieb warm. Wenn etwas Unvorhergesehenes eintritt, sofort die Fusionsflamme einsetzen. Sohl out.«

Er starrte eine Weile auf den Bildschirm und sagte endlich: »Ein Super-Einstufenschiff! Nicht zu fassen!«

»Geflogen von einer Art Super-Gürtel-Bewohner«, sagte Luke. »Ganz allein. Braucht keine Unterhaltung. Legt keinen Wert auf Abwechslung beim Essen. So kräftig wie King Kong. In etwa menschliches Aussehen.«

Nick lächelte.

»Gehört er dann nicht einer höheren Art an?«

»Das möchte ich nicht bestreiten. Wir müssen abwarten.«

Brennan bewegte sich.

Er hatte sich seit Stunden nicht bewegt. Er lag im Wurzelbehälter auf dem Rücken, den Körper fast in Fötushaltung um den geschwollenen Bauch gekrümmt, die Hände zu Fäusten geballt. Aber jetzt bewegte er einen Arm, und Phssthpok wurde plötzlich aufmerksam.

Brennan griff nach einer Wurzel, schob sie in den Mund, biß ab und schluckte. Biß ab und schluckte. Biß ab und schluckte, unter Phssthpoks wachsamem Blick. Seine eigenen Augen blieben geschlossen.

Brennans Hand ließ das letzte Stück der Wurzel los, er drehte sich herum und rührte sich nicht mehr.

Phssthpok erschlaffte. Nach einer Weile begann er wieder zu träumen.

Vor Tagen hatte er aufgehört zu essen. Er sagte sich, daß das zu früh war, aber sein Magen glaubte es ihm nicht. Er würde gerade lange genug leben. Inzwischen träumte er.

... Er saß auf dem Boden der Bibliothek, eine Wurzel zwischen den Zähnen, ein uraltes Buch auf einem knorrigen Knie, eine Karte ausgebreitet auf dem Boden. Es war eine Karte der Galaxis, aber im Maßstab der Zeit. Die Kern-Sterne zeigten sich in drei Millionen Jahre alten Positionen, aber die äußeren Spiralarme waren eine halbe Million Jahre jünger. Die Bibliothekare hatten fast ein ganzes Jahr an der Karte für ihn gearbeitet.

Angenommen, sie haben die Entfernung x zurückgelegt, sagte er sich. Ihre Durchschnittsbeschleunigung muß 0,6748 der Lichtgeschwindigkeit betragen haben, wenn man Staubreibung, und die Schwerkraft- und elektromagnetischen Felder der Galaxis berücksichtigt. Ihr Laserstrahl kehrte mit Lichtgeschwindigkeit zurück; Raumkrümmung berücksichtigen. Gib ihnen ein Jahrhundert, um den Laser zu bauen; dafür werden sie die ganze verfügbare Zeit eingesetzt haben. Dann ist x = 33 210 Lichtjahre.

Phssthpok nahm seinen Zirkel und beschrieb einen Bogen mit der Pak-Sonne als Mittelpunkt. Fehlerquote: 0,001, dreißig Lichtjahre. Auf diesem Bogen sind sie!

Jetzt nimm an, daß sie vom galaktischen Mittelpunkt aus gerade hinausgeflogen sind. Eine gute Annahme: In dieser Richtung gab es Sterne, und die Pak-Sonne lag abseits des Kernmittelpunkts. Phssthpok zog eine Linie. Hier war der Fehlerbereich größer... Und die gerade Linie würde sich inzwischen gekrümmt haben, während die Galaxis sich drehte. Sie sind in der galaktischen Ebene geblieben. Und in der Nähe dieses Punktes. Ich habe sie gefunden...

Alle erreichbaren Protektoren sprangen ihm bei, ermittelten und experimentierten, bauten einen Fusionsantrieb, planten, konstruierten, stellten her. Phssthpok hatte allen kinderlosen Protektoren eine neue Aufgabe geboten...

... Das Schiff stand endlich fertig, in drei Teilen, im Sand, nicht weit von der Bibliothek entfernt. Phssthpoks Armee montierte. Wir brauchen Einpoler, wir brauchen Wurzeln vom Baum des Lebens und Samenkörner, wir brauchen enorme Mengen Wasserstofftreibstoff. Unter einer bestimmten Geschwindigkeit arbeitet das Ansaugfeld nicht. Meteor-Bucht hat alles, was wir brauchen! Wir können siegen!

Zum erstenmal in zwanzigtausend Jahren versammelten sich die kinderlosen Protektoren von Pak zum Krieg . . .

. . . Sein eigener Virus QQ wurde gegen die Fortpflanzer eingesetzt, die Überlebenden spürte man auf. Neue kinderlose Protektoren traten über und schlossen sich ihm an. Hratchp meldete sich mit dem seltsamen, komplexen Geheimnis der Baumdes-Lebens-Wurzel . . .

Dreimal wurde an den Rumpf geklopft.

Einen Augenblick lang glaubte er, es sei nur eine Erinnerung. So weit war er schon. Dann stand er auf und starrte eine Stelle hoch an der gewölbten Wand an. Seine Gedanken überschlugen sich.

Er hatte gewußt, daß auf der Stauboberfläche eine Art nichtorganischer Photosynthese stattfand. Jetzt folgerte sein Verstand weiter: Strömungen im Staub, Photosynthese an der Oberfläche, Ströme, die größeren Lebensformen Nahrung hinunterbeförderten. Er hätte es schon vorher erraten und sich vergewissern müssen. Er war schon zu weit fortgeschritten, war Phssthpok. Das Alter und die nachlassende Motivation schalteten ihn zu früh ab.

Drei gemessene Schläge fast genau unter seinen Füßen.

Er sprang durch den Frachtraum, griff nach dem Erweicher und wartete.

Hypothese: Etwas Intelligentes klopfte den Rumpf nach Echos ab. Größe: Unbekannt. Intelligenzgrad: Unbekannt. Geistige Differenzierung: Vermutlich gering wegen dieser Umwelt. Sie mußten blind sein hier unten, wenn sie überhaupt Augen besaßen. Ein besonderer Geräuschsinn mochte als Ausgleich dienen. Die Echos ihres Klopfens mochten ihnen ziemlich genau verraten, wo er sich befand. Und dann?

Würden sie versuchen einzudringen? Intelligente Wesen waren neugierig.

Phssthpok sprang hinauf in die winzige Steuerzelle und zog seinen Druckanzug an.

Drei gemessene Schläge irgendwo unter ihm. Eine Pause.

Neben seinem rechten Arm klopfte es ebenfalls. Phssthpok legte den Erweicher an die Wand. *Wumm* – und dreißig Zentimeter Glasstaub drangen durch das Twing. Phssthpok zerrte mit voller Kraft, griff durch die Wand und erfaßte etwas Weicheres. Er zog es herein.

Er hatte etwas Pak-förmiges, sowohl kleiner als auch dichter als ein Pak. Es umklammerte einen Speer. Phssthpok hieb wuchtig auf die Stelle zwischen Kopf und Schultern. Etwas brach, und das Wesen erschlaffte. In der Mitte seines Körpers gab es eine von Knochen nicht geschützte Stelle. Phssthpok stieß die Hand hinein, bis es nachgab. Vermutlich war es tot.

Es begann zu rauchen. Irgend etwas in der Atmosphäre der Kapsel veranlaßte es, Rauchschwaden von sich zu geben. Das erschien vielversprechend. Der Speer sprach nicht für eine hohe Zivilisationsstufe. Wahrscheinlich besaßen sie nichts, womit sie Twing durchstoßen konnten. Er öffnete kurz den Helm und schnupperte vorsichtig. Schloß ihn schnell wieder. Aber er hatte Chemikalien gerochen, die er kannte . . .

Er träufelte Wasser auf das Bein des fremden Wesens. Das Ergebnis war ein Feuerball. Phssthpok sprang davon. Von der anderen Seite des Raumes verfolgte er, wie das Wesen verbrannte.

Er schloß einen Schlauch vom Wassertank zum Rumpf an, gebrauchte den Erweicher, schob den Schlauch hinaus, entfernte den Schlüssel, so daß das Material wieder hart wurde, dann ließ er das Wasser laufen. Überall am Rumpf begann ein verzweifeltes Klopfen, dann hörte es schlagartig auf.

Er ließ fast seine ganze Wasserreserve in den Staub hinauslaufen, dann wartete er einige Stunden, bis das Heulen des Luftsystems verstummte. Er zog den Druckanzug aus und begab sich zurück zu Brennan. Der Gefangene hatte nichts wahrgenommen.

Das Wasser würde die Eingeborenen einige Zeit fernhalten, aber Phssthpoks Reserven verringerten sich rasend schnell: Sein Schiff war aufgegeben, das Antriebssystem nutzlos, seine Umwelt umgeben von einer Staubkugel. Jetzt hatte er keine Wasserreserven mehr. Seine Lebensgeschichte kam beinahe sichtbar zu ihrem Ende. Nach einer Weile träumte er wieder.

»›U Thant‹, hier ist Tina Jordan, an Bord ›Blue Ox‹.« Luke nahm die kaum unterdrückte Panik in der Frauenstimme wahr. Tina faßte sich und sagte: »Wir haben Probleme. Wir wollten die Wurzel im Labor analysieren, und Einar hat einen Bissen versucht! Das verdammte Ding sah aus wie Asbest aus dem Vakuum, aber er kaute ein Stück ab und verschluckte es, bevor wir ihn zurückhalten konnten. Ich begreife nicht, warum er das getan hat. Das Zeug roch scheußlich! Einar ist krank, sehr krank. Er versuchte mich umzubringen, als ich ihm die Wurzel wegnahm. Jetzt ist er im Koma. Wir haben ihn an den Autodoktor angeschlossen. Die Anlage sagt ›Unzureichende Daten‹. Wir bitten um Erlaubnis, ihn zu einem richtigen Arzt bringen zu dürfen.«

Nick fluchte und schaltete auf Sendung.

»Hier Nick Sohl. Sucht euch einen Kurs aus, dann analysiert die Wurzel. Hat euch der Geruch an irgend etwas erinnert? Sohl out.« Er schaltete ab. Die Kommunikationslücke betrug dreißig Minuten. »Was ist denn in ihn gefahren?« sagte er.

»Ob er Hunger hatte?« meinte Luke achselzuckend.

»Einar Nilsson, um Finagles willen! Er war ein Jahr lang mein Chef, bevor er die Politik aufgab. Wie käme er zu solchen Selbstmordgedanken? Er ist doch kein Trottel.« In der halben Stunde, bis die ›Blue Ox‹ sich wieder meldete, ließ er sich von Ceres über Laser Daten über alle drei Besatzungsmitglieder geben.

»Tina Jordan ist Flachländerin«, sagte er. »Das erklärt, warum sie auf Anweisungen gewartet haben.«

»Wieso?«

»Die meisten Leute vom Gürtel wären sofort umgekehrt, als

Einar erkrankte. Das Schiff des Outsiders ist leer, und es läßt sich leicht orten.«

»›Blue Ox‹ ruft ›U Thant‹. Wir sind auf dem Heimweg. Kurs Vesta. Analyse der Wurzel nahezu normal. Reich an Kohlehydraten, einschließlich rechtsdrehender Zucker. Die Proteine sehen normal aus. Keinerlei Vitamine. Wir haben zwei Komponenten gefunden, die laut Nate völlig neu sind. Die eine ähnelt einem Hormon, Testosteron, ist aber eindeutig kein Testosteron.

Die Wurzel hat einen Geruch, den ich mit nichts vergleichen kann, außer vielleicht mit saurer Milch oder saurer Sahne. Die Luft im Outsider-Schiff war dünn, mit einem ausreichenden Sauerstoff-Teildruck, keine giftigen Verbindungen, mindestens zwei Prozent Helium. Die Spektralanalyse des Bullaugenmaterials ergab –« Sie nannte ein Spektrum von Elementen mit hohem Silikongehalt. »Der Autodoktor bezeichnet Einars Krankheit noch immer mit ›Unzureichende Daten‹, aber jetzt ist eine Notlampe aufgeflammt. Gut ist das auf keinen Fall. Noch Fragen?«

»Im Augenblick nicht«, sagte Nick. »Nicht zurückrufen, weil wir kurz vor der Landung stehen.« Er schaltete ab und trommelte mit den langen, spitz zulaufenden Fingern auf der Konsole herum. »Helium. Das müßte uns einen Hinweis geben.«

»Eine kleine Welt ohne Mond«, spekulierte Luke. »Große Monde neigen dazu, die Atmosphäre eines Planeten abzuschöpfen. Die Erde sähe ohne ihren übergroßen Mond aus wie die Venus. Das Helium würde als erstes abgezogen werden, nicht?«

»Vielleicht. Es würde auch auf einem kleinen Planeten zuerst verschwinden. Denken Sie an die Stärke des Outsiders. Er kommt von keinem kleinen Planeten.«

»Was dann?«

»Von irgendwo in einer Gaswolke mit sehr viel Helium. Der galaktische Kern liegt in der Richtung, aus der er gekommen ist. Da gibt es viele Gas- und Staubwolken.«

»Aber das ist doch unfaßbar weit weg. Hören Sie endlich mit dem Trommeln auf?«

»Das hilft mir beim Nachdenken. Wie Ihnen das Rauchen.«

»Dann trommeln Sie.«

»Es gibt keine Grenze dafür, wie weit er geflogen sein kann. Je schneller ein Bussard-Staustrahlschiff fliegt, desto mehr Treibstoff nimmt es auf.«

»Es muß eine Grenze geben, bei der die Ausstoßgeschwindigkeit der Geschwindigkeit gleich ist, mit der das Gas das Ansaugfeld erreicht.«

»Möglich. Aber es muß weiß-Finagle-wo sein. Der Lufttank war riesengroß. Der Outsider ist weit fort von zu Hause.«

Einar lag am Autodoktor angeschlossen. Ein Arm verschwand fast ganz in der Anlage.

Tina beobachtete sein Gesicht. Es war immer schlimmer geworden. Es sah nicht nach Krankheit aus, sondern nach Altern. In der vergangenen Stunde war Einar um Jahrzehnte gealtert.

Sein Brustkorb bewegte sich nicht mehr.

Tina blickte auf die Skalen. Alle rot.

»Er ist tot«, sagte sie. Sie hörte die Überraschung in ihrer Stimme und staunte darüber. Die Wände des Schiffs verschwammen.

Nate kam heran und beugte sich über Einar.

»Und das haben Sie eben bemerkt! Er muß schon seit einer Stunde tot sein.«

»Nein, ich schwöre –« Tina schluckte krampfhaft. Ihr ganzer Körper wurde zu Wasser. Sie war dabei, ohnmächtig zu werden.

»Sehen Sie sich sein Gesicht an, und wiederholen Sie das!«

Tina stand mühsam auf und betrachtete das verwüstete Gesicht. Einar, tot, sah aus, als sei er Hunderte von Jahren alt. In Leid und Schuldbewußtsein berührte sie die tote Wange.

»Er ist noch warm.«

»Warm?« Nate berührte den Toten. »Er glüht. Fieber. Muß vor Sekunden noch gelebt haben. Verzeihen Sie, Tina – he, was ist denn?«

»Da müßte der Stützpunkt sein«, sagte Luke. »Am Nordrand dieses Bogens. Ah ja, der kleine Krater da.«

»Nehmen Sie das Teleskop.«

»Mmmmmh – verdammt. Ah, da. Natürlich luftleer.«

Er sah aus wie ein weggeworfener blauer Spielzeugluftballon.

Staub quoll in wirbelnden Wolken ihrer Antriebsflamme entgegen. Nick fluchte barbarisch und steigerte den Schub. Inzwischen kannte Luke sich mit seinen Flüchen aus. Gebrauchte er Finagles Namen, dann humorvoll oder um etwas zu unterstreichen. Stieß er Blasphemien der Christen aus, meinte er es ernst.

Die ›U Thant‹ wurde langsamer und schwebte. Sie war über dem Staub, dann im Staub, und langsam wurden die ockerfarbenen Wolken dünner und verzogen sich. Ein ringförmiger Sandsturm entfernte sich im Umkreis von dreihundertsechzig Grad zum Horizont. Zum erstenmal seit Jahrtausenden lag das Gestein bloß. Es war klumpig, braun und verwittert. Wo die Flamme es berührte, schmolz es.

»Ich muß im Krater landen«, sagte Nick. »Der Staub fließt sofort wieder herein, wenn ich abschalte.« Er stellte das Schiff schräg und schaltete ab. Der Boden sackte weg. Sie stürzten.

Sie stürzten die ganze Zeit mit Steuerdüsen und setzten kaum wahrnehmbar auf.

»Wunderbar«, sagte Luke.

»Das mache ich ja dauernd. Ich suche den Stützpunkt ab. Sie beobachten mich über die Helmkamera.«

Der Ringwall ragte mit abgerundetem, vulkanartigem Gestein über ihm empor. Staub tropfte vom Rand herab, wie Sirup den flachen Abhang herunterlaufend, sammelte sich als Pfütze um die Stoßdämpferbeine des Schiffes. Der Krater hatte einen Durchmesser von einer halben Meile. Ungefähr in der Mitte stand die Kuppel, umgeben von einem wogenden Staubmeer.

Nick ging vorsichtig am Fuß des Ringwalls entlang, weil der Staub auch Risse verdeckte. Über dem Kraterrand schwebte eine kleine, sengende Sonne an einem tiefpurpurnen Himmel.

Im Kuppelstoff gab es mindestens ein Dutzend Schlitze. Nick fand zwölf mumifizierte Leichen. Die Marsbewohner hatten die Stützpunktbesatzung vor über einem Jahrhundert ermordet und es mit Müller genauso gemacht, nachdem Müller die Kuppel wieder aufgeblasen hatte.

Nick suchte in den kleinen Gebäuden der Reihe nach und mußte mehrmals unter dem schlaff herabhängenden Kuppelstoff hindurchkriechen. Kein Outsider begegnete ihm.

»Sackgasse«, meldete er. »Nächster Schritt?«

»Sie müssen mich auf dem Rücken tragen, bis wir ein Sandboot finden.«

Über den Booten lag Staub, so daß man nur die flachen, weiten Umrisse sah.

»Scheinen in Ordnung zu sein«, sagte Luke. Er setzte sich auf Nicks Schultern bequemer zurecht. »Wir haben Glück, Sindbad.«

»Immer langsam.« Nick ging auf die Kuppel zu. Luke saß leicht auf seinen Schultern, und sein eigener Körper war hier leicht, aber gemeinsam waren sie kopflastig. »Wenn ich falle, versuche ich mich auf die Seite zu neigen. Im Staub können wir uns beide nicht wehtun.«

»Fallen Sie lieber nicht.«

»Die UNO-Flotte wird vermutlich auch hierherkommen. Um die Boote zu holen.«

»Sie sind Tage hinter uns. Los.«

»Der Weg ist glitschig, weil überall Staub liegt.«

Die drei Boote waren an der Westseite festgemacht. Jedes hatte vier Sitze und am Heck zwei Ventilatoren. Die Boote waren so flach, daß sie im Meer bei der geringsten Dünung untergegangen wären, aber im schweren Staub ragten sie hoch empor.

Nick ließ seine Last nicht besonders vorsichtig auf einen der Sitze fallen.

»Stellen Sie fest, ob es anspringt, Luke. Ich hole Treibstoff aus der Kuppel.«

Luke konnte den Kompressor in Betrieb nehmen, aber der Motor rührte sich nicht. Er schaltete wieder ab. Am Heck fand er ein Ballondach. Er blies es auf und dichtete es ab.

Nick kam mit einer grünen Metallflasche zurück und füllte den Tank. Luke betätigte den Starter noch einmal. Es klappte.

Das Boot wollte ohne Nick davon. Luke fand den Leerlauf, dann den Rückwärtsgang. Nick wartete, bis er zurückkam.

»Wie komme ich durch das Ballondach?«

»Gar nicht.« Luke ließ die Luft heraus, ließ Luke einsteigen, und dichtete wieder ab. Der Ballon füllte sich langsam. »Die Anzüge lassen wir lieber an«, meinte Luke. »Es kann eine Stunde dauern, bis wir hier atmen können.«

»Dann Luft raus. Wir müssen uns erst aus dem Schiff versorgen.«

Es dauerte zwei Stunden, bis sie das Ballondach aufblasen und zu der Öffnung im Ringwall fahren konnten.

Nick saß auf einem der Stühle, den Blick auf das Tiefenradargerät gerichtet.

»Scheint jetzt tief genug zu sein.«

»Dann Tempo«, sagte Luke. Die Rotoren drehten sich, das Heck tauchte tief ein und richtete sich wieder auf. Sie fegten mit zehn Knoten über den Staub, zwei gerade Kielspuren hinter sich.

Der Tiefenradarschirm registrierte ein Dichtemuster in drei Dimensionen. Es zeigte einen glatten Boden, regelmäßige Senken und Erhebungen, die in Jahrmillionen alle scharfen Kanten und Spitzen verloren hatten. Auf dem Mars gab es kaum Vulkantätigkeit.

Die Wüste war so flach wie ein Spiegel. Runde, schwärzlichbraune Felsen ragten heraus, unpassend, daliesk. Krater hockten wie schlecht fabrizierte Tonaschenbecher auf dem Staub. Manche waren zweieinhalb Zentimeter breit, andere so groß, daß man sie nur aus einer Umlaufbahn ganz erfassen konnte. Der Horizont war gerade, nah und rasiermesserscharf, unten gelb und oben arterienrot glühend. Nick drehte den Kopf und sah die Krater hinter sich entschwinden.

Seine Augen wurden weit und verengten sich wieder. War da etwas?

»Verdammt. Halt!« schrie er. »Umkehren! Scharf nach links!«

»Zurück zum Krater?«

»Ja!«

Das Boot drehte den Bug nach links, glitt aber weiter seitwärts über den Staub. Dann faßte der rechte Rotor, und das Boot kurvte herum.

»Ich seh's«, sagte Luke.

Es war auf diese Entfernung wenig mehr als ein Punkt, aber vor der ruhigen, einfarbigen See deutlich zu erkennen. Und es bewegte sich. Es zuckte, kam zum Stillstand, zuckte wieder, rollte seitwärts. Es war von der Kraterwand einige hundert Meter entfernt.

Als sie näherkamen, wurde es deutlicher. Es war zylindrisch, von der Form einer kurzen Raupe und durchscheinend; weich dazu, denn sie sahen, daß es sich verbog. Es versuchte die Öffnung in der Ringmauer zu erreichen.

Luke nahm Gas weg. Das Staubboot wurde langsamer und sank tiefer. Als sie längsseits kamen, sah Luke, daß Nick sich mit einer Signalwaffe ausgerüstet hatte.

»Das ist er«, sagte Nick staunend. Er beugte sich über die Seite, die Pistole im Anschlag.

Die Raupe war ein durchsichtiger, aufgeblasener Sack. Im Inneren befand sich etwas, das sich weiterrollte, immer wieder, langsam, mühsam, um das Boot zu erreichen. Es war so eindeutig fremdartig wie nur irgendein Monster in den Zeiten des zweidimensionalen Fernsehens.

Es war humanoid, soviel, wie ein Strichmännchen humanoid ist. Es bestand aus Knorren. Ellbogen, Knie, Schultern, Backenknochen ragten hervor wie Murmeln oder Grapefruit oder Bowlingkugeln. Der kahle Kopf stieg hinten schwellend an wie ein Wasserkopf.

»Hilflos genug sieht es aus«, meinte Nick zweifelnd.

»Na, wieder weg mit unserer Luft.« Luke öffnete das Ballondach. Die beiden Männer griffen hinaus und hoben den Sack in das Boot. Der Ausdruck des fremden Wesens änderte sich nicht und konnte sich vermutlich nicht ändern. Das Gesicht sah *hart* aus. Aber das Wesen tat etwas Merkwürdiges. Mit Daumen und Zeigefinger einer Hand, die wie eine Kette aus schwarzen Walnüssen aussah, machte es einen Kreis.

»Das muß es von Brennan gelernt haben«, sagte Nick.

»Sehen Sie sich die Knochen an, Nick. Sie entsprechen einem menschlichen Skelett.«

»Für einen Menschen sind die Arme zu lang. Und der Rücken ist stärker verformt.«

»Ja. Ins Schiff können wir ihn nicht schaffen, und so, wie er jetzt ist, können wir nicht mit ihm reden. Wir müssen hier warten, bis sich das Ballondach wieder gefüllt hat.«

»Die meiste Zeit warten wir nur«, meinte Luke.

Nick Sohl nickte. Das fremde Wesen hatte sich noch nicht bewegt. Es lag in dem aufblasbaren Sack am Boden und wartete. Seine menschlichen Augen beobachteten sie aus zähen, ledrigen Falten.

»Wenigstens ist es uns gegenüber im Nachteil«, sagte Nick. »Es kann uns nicht entführen.«

»Ich glaube, er ist wahnsinnig.«

»Wahnsinnig? Seine Motive mögen ein wenig seltsam sein –«

»Für mich ist er aus einer interstellaren Irrenanstalt entsprungen. Ein anderer Schluß ist nicht möglich, wenn man bedenkt, was er alles getan hat.«

»Sie sagen immer ›er‹. Das ist ein ›es‹. Denken Sie es sich so, und man erwartet seltsames Verhalten.«

»Das ist eine Ausrede. Das Universum ist vernünftig. Um zu überleben, muß dieses Ding auch vernünftig sein, er, sie oder es.«

»Noch zwei Minuten, dann –«

Das fremde Wesen bewegte sich. Seine Hand zuckte durch den Sack. Nick hob sofort die Signalwaffe. Auf der Stelle . . . aber das Fremdwesen griff durch einen langen Schlitz im Sack und nahm Nick die Waffe aus der Hand, bevor er reagieren konnte. Von Hast war nichts zu sehen. Es legte die Waffe ins Heck und setzte sich auf.

Es begann zu sprechen. Es klang knackend und raschelnd und knallend. Der flache, harte Schnabel mußte ein Hindernis sein. Aber man konnte es verstehen.

Es sagte: »Bringt mich zu eurem Führer.«

Nick erholte sich als erster. Er straffte die Schultern, räusperte sich und sagte: »Das erfordert einen Flug von einigen Tagen. Inzwischen begrüßen wir Sie im menschlichen Raum.«

»Leider nicht«, sagte das Monstrum. »Ich verderbe Ihnen das ungern. Ich heiße Jack Brennan und bin vom Gürtel. Sind Sie nicht Nick Sohl?«


# 3


In die schreckliche Stille platzte Lukes Gelächter.

»Denken Sie es sich als fremdes Wesen, und man erwartet – h-hahaha –«

»Sie – Sie sind Brennan?« stieß Nick hervor.

»Ja. Und Sie sind Nick Sohl. Aber Ihren Freund kenne ich nicht.«

»Lucas Garner.« Luke hatte sich wieder gefaßt. »Ihre Fotos werden Ihnen nicht gerecht, Brennan.«

»Ich habe eine Dummheit gemacht«, sagte das Brennan-Ungeheuer. Seine Stimme war nicht menschlicher, sein Aussehen nicht weniger erschreckend geworden. »Ich habe mich mit dem Outsider getroffen. Sie wollten das auch, nicht?«

»Ja. Hat es denn wirklich einen gegeben, Brennan?«

»Wenn Sie nicht Haarspaltereien über die Definition anstellen wollen.«

»Herrgott noch mal, Brennan!« unterbrach Sohl. »Was ist denn passiert mit Ihnen?«

»Das ist eine lange Geschichte. Drängt die Zeit? Natürlich nicht, Sie haben den Motor angelassen. Also, ich möchte das auf meine Weise erzählen, also bitte respektvolles Schweigen; bedenken Sie, daß Sie genauso aussehen würden, wenn ich nicht dazwischengekommen wäre, und das geschähe Ihnen ganz recht.« Er sah die beiden scharf an. »Irrtum. Stimmt nicht. Ihr seid beide über das Alter hinaus. Also Geduld. Es gibt eine Rasse von Zweibeinern am Rand der Kugel dichtgedrängter Sonnen im Kern der Galaxis ...

Das Wichtigste an ihnen ist, daß sie in drei Stufen der Reife leben. Zuerst die Kindheit, das erklärt sich von selbst. Dann das Fortpflanzungsstadium, ein Zweibeiner knapp vor der Erlangung der Intelligenz, dessen Lebenszweck es ist, viele Kinder hervorzubringen. Und den Protektor.

Im Alter von etwa zweiundvierzig Jahren nach unserer Zeitrechnung spürt der Fortpflanzer den Trieb, die Wurzel eines bestimmten Strauchs zu essen. Bis dahin hat er sich davon ferngehalten, weil ihm der Geruch zuwider war. Plötzlich riecht sie köstlich. Der Strauch wächst überall auf dem Planeten; es kommt nicht vor, daß die Wurzel einem Fortpflanzer, der lange genug lebt, um sie zu begehren, vorenthalten bleibt.

Die Wurzel löst gewisse Veränderungen physiologischer und emotioneller Art aus. Bevor ich auf Einzelheiten eingehe, will ich Sie in das große Geheimnis einweihen. Die Rasse, von der ich spreche, nennt sich –« Das Brennan-Ungeheuer klappte mit dem Hornschnabel. *Pak.* »Aber wir nennen sie *Homo habilis.*«

»Was?« entfuhr es Nick, während Luke dasaß und breit grinste.

»Vor etwa zweieinhalb Millionen Jahren gab es eine Expedition, die auf der Erde landete. Der Strauch, den sie mitbrachte, wollte nicht richtig wachsen, deshalb hat es auf der Erde kein Protektor-Stadium gegeben. Darauf komme ich noch.

Wenn ein Fortpflanzer die Wurzel ißt, findet Folgendes statt: Seine oder ihre Gonaden und auffälligen Geschlechtsmerkmale verschwinden. Der Schädel wird weich, und das Gehirn beginnt zu wachsen, bis es beträchtlich größer und komplexer ist als das Ihrige, meine Herren. Dann wird der Schädel hart und bringt einen Knochenkamm hervor. Die Zähne fallen aus, soweit noch vorhanden; Zahnfleisch und Lippen vereinigen sich und bilden einen harten, fast ganz flachen Schnabel. Mein Gesicht ist *zu* flach; beim *Homo habilis* geht das besser. Die ganze Behaarung verschwindet. Manche Gelenke schwellen enorm an, um den Muskeln eine viel größere Hebelwirkung zu verschaffen. Der Kraftarm wird verstärkt, verstehen Sie? Die Haut wird hart und runzlig und bildet eine Art Panzer. Fingernägel werden zu Klauen, einziehbaren Klauen, so daß die Fingerspitzen eines Protektors sogar empfindlicher sind als vorher, und bessere Werkzeughersteller. Ein einfaches Zweikammerherz bildet sich dort, wo die zwei Beinvenen, oder wie zum Teufel sie heißen, sich vor dem Herzen vereinigen. Sehen Sie, daß meine Haut dort dicker ist? Nun, es gibt noch ein paar weniger dramatische Veränderungen, aber sie tragen alle dazu bei, den Protektor zu einer mächtigen, intelligenten Kampfmaschine zu machen. Garner, Sie scheinen nicht mehr belustigt zu sein.«

»Das klingt alles schrecklich bekannt.«

»Ich habe mich schon gefragt, ob Ihnen das auffällt... Die emotionellen Veränderungen sind drastischer Art. Ein Protektor, der eine reine Linie hervorgebracht hat, kennt keinen anderen Trieb als den, die seiner Blutlinie zu schützen. Er erkennt sie am Geruch. Seine gesteigerte Intelligenz nützt ihm hier nichts, weil seine Motive von seinen Hormonen beherrscht werden. Nick, ist Ihnen der Gedanke gekommen, daß alle diese Veränderungen eine Art maßlose Übertreibung all dessen sind, was mit Männern und Frauen geschieht, wenn sie älter werden? Garner hat das sofort gesehen.«

»Ja, aber –«

»Das zusätzliche Herz«, warf Luke ein. »Was ist damit?«

»Wie das erweiterte Gehirn bildet es sich nicht ohne den Baum des Lebens. Nach Fünfzig ist ein normales menschliches Herz ohne moderne medizinische Pflege nicht mehr leistungsfähig genug. Schließlich steht es still.«

»Ah.«

»Findet ihr beide das überzeugend?«

»Warum fragen Sie?« meinte Luke.

»Mir kommt es viel mehr darauf an, Nick zu überzeugen. Meine Bürgerrechte im Gürtel hängen davon ab, daß ich dartun kann, Brennan zu sein. Nicht zu reden von meinem Bankkonto, meinem Schiff und meiner Fracht. Nick, ich habe an meinem Schiff einen Treibstofftank von Mariner XX befestigt, der zuletzt mit hoher Geschwindigkeit durch den Weltraum raste.«

»Das tut er noch«, sagte Nick. »Wie das Outsiderschiff. Wir müssen es holen.«

»Bei Finagle, ja! Die Konstruktion ist nicht so besonders, ich könnte es mit einer Binde vor den Augen verbessern, aber mit den Einpolern könnte man ganz Ceres kaufen!«

»Alles hübsch der Reihe nach«, sagte Garner ruhig.

»Das Schiff entfernt sich, Garner. Ach so, ich verstehe. Sie haben Angst davor, ein fremdes Ungeheuer in die Nähe eines funktionierenden Raumschiffs zu bringen. Gut, wir bleiben hier, bis Sie überzeugt sind. Abgemacht? Gibt es einen besseren Vorschlag?«

»Nicht von einem Gürtel-Bewohner. Brennan, es bestehen deutliche Hinweise darauf, daß der Mensch mit den anderen Primaten der Erde verwandt ist.«

»Das bezweifle ich nicht. Ich habe da einige Theorien.«

»Nur zu.«

»Zu dieser verirrten Kolonie. Ein großes Schiff ist hier angekommen, und vier Landungsfahrzeuge flogen mit etwa dreißig Protektoren und sehr vielen Fortpflanzern hinunter. Ein Jahr später wußten die Protektoren, daß sie sich den falschen Planeten ausgesucht hatten. Der Strauch, den sie brauchten, wuchs nicht richtig. Sie schickten mit Laser einen Hilferuf hinaus, und dann starben sie. Verhungern ist für einen Protektor ein normaler Tod, aber in der Regel freiwillig. Diese starben gegen ihren Willen. Die Fortpflanzer pflanzten sich ohne Behinderung fort. Es gab Raum genug, und die Protektoren müssen alle gefährlichen Lebensformen ausgerottet haben. Was weiter geschah, kann man nur vermuten. Die Protektoren waren tot, aber die Fortpflanzer waren es gewöhnt, daß sie Hilfe bekamen, und sie blieben bei den Schiffen.«

»Und?«

»Und die Atomreaktoren wurden kritisch, weil die Protektoren, die damit umgehen konnten, nicht mehr da waren. Es müssen Kernspaltungsreaktoren gewesen sein. Vielleicht sind sie explodiert, vielleicht auch nicht. Die Strahlung verursachte Mutationen, aus denen sich alles Mögliche entwickelte, von Lemuren über Affen und Schimpansen bis zum vorgeschichtlichen und heutigen Menschen. Das ist die eine Theorie. Eine andere wäre, daß die Protektoren bewußt Mutationen hervorgebracht haben, damit die Fortpflanzer Aussicht hatten, zu überleben, bis Hilfe kam. Das Ergebnis bleibt das gleiche.«

»Das glaube ich nicht«, sagte Nick.

»Sie werden es glauben. Sie sollten es jetzt schon tun. Beweise gibt es genug, vor allem in Religionen und in Sagen. Welcher Prozentsatz der Menschheit erwartet wirklich, ewig zu leben? Warum gibt es in so vielen Religionen eine Rasse von Unsterblichen, die ständig miteinander kämpfen? Warum gibt es Ahnenverehrung? Sie wissen, was ohne die moderne Geriatrie mit einem Mann geschieht: er altert, und seine Gehirnzellen sterben ab. Trotzdem neigen die Menschen dazu, ihn besonders zu achten, auf ihn zu hören. Woher kommen Schutzengel?«

»Kollektivgedächtnis?«

»Wahrscheinlich. Schwer zu glauben, daß eine Tradition sich so lange hält.«

»Südafrika«, sagte Luke. »Sie müssen in Südafrika gelandet sein, irgendwo beim Nationalpark in der Olduvai-Schlucht. Da sind alle Primaten versammelt.«

»Nicht unbedingt. Vielleicht ist ein Schiff in Australien gelandet, der Metalle wegen. Die Protektoren haben vielleicht nur radioaktiven Staub verstreut und es dabei belassen. Die Fortpflanzer mußten sich ohne natürliche Feinde wie die Kaninchen vermehren, und die Strahlung half ihnen, sich zu verändern. Als alle Protektoren tot waren, mußten sie neue Anlagen entwickeln. Einige erlangten Kraft, andere Beweglichkeit, wieder andere Intelligenz. Die meisten starben, wie das bei Mutationen üblich ist.«

»Ich scheine mich zu erinnern, daß der Altersprozeß beim Menschen mit dem in einer Raumsonde ablaufenden Programm vergleichbar ist. Sobald die Sonde ihre Arbeit getan hat, spielt keine Rolle mehr, was aus ihr wird. Und wenn wir also das Alter überschreiten, in dem wir Kinder haben können –«

»– braucht uns die Evolution nicht mehr«, ergänzte das Brennan-Ungeheuer. »Die Wurzel liefert natürlich das Programm für die dritte Stufe, guter Vergleich.«

»Und was kann mit der Wurzel geschehen sein?« fragte Nick.

»Ah, das ist kein Rätsel, auch wenn die Protektoren der Pak

eine Weile schier verzweifelten. Kein Wunder, daß eine kleine Kolonie das Problem nicht lösen konnte. In der Wurzel lebt ein Virus. Es trägt die Gene für den Übergang vom Fortpflanzer zum Protektor. Außerhalb der Wurzel kann es nicht leben, so daß ein Protektor immer wieder Wurzeln essen muß. Wenn sich im Boden kein Thallium befindet, wächst die Wurzel zwar, aber der Virus stirbt ab.«

»Klingt ziemlich kompliziert.«

»Auf der Pak-Welt gab es keine Probleme. Thallium ist eine seltene Erde, aber bei den Sternen der Population II muß sie gang und gäbe sein. Und die Wurzel wächst überall.«

»Und welche Rolle spielt der Outsider?« fragte Nick.

Ein Zischen und Herunterklappen des Schnabels: *Phssth-pok.*

»Phsstpok fand alte Aufzeichnungen mit dem Hilferuf. Als erster Protektor seit zweieinhalb Millionen Jahren begriff er, daß es einen Weg gab, Sol zu finden oder die Suche jedenfalls auf ein bestimmtes Gebiet zu begrenzen. Und er hatte keine Kinder, so daß er schnell eine Sache finden mußte, der er sich verpflichten konnte, bevor ihn der Trieb zu essen verließ. Das geschieht bei einem Protektor, dessen Nachkommen alle tot sind. Übrigens gibt es einen starken Schutz gegen Mutationen bei den Pak. Eine Mutation riecht nicht richtig. Das könnte wichtig sein im galaktischen Kern, wo starke Strahlung herrscht.«

»Er kam also mit einem Frachtraum voll Samenkörnern angebraust?«

»Und Säcken voll Thalliumoxyd. Das Oxyd war am leichtesten zu befördern. Ich verstehe auch, warum er die Frachtkapsel hinter seiner Steuerkapsel herschleppte. In kleinen Mengen stört ihn Strahlung nicht. Er kann keine Kinder haben.«

»Wo ist er jetzt?«

»Ich mußte ihn töten.«

»Was?« sagte Garner entsetzt. »Hat er Sie angegriffen?«

»Nein.«

»Dann – verstehe ich nicht.«

Das Brennan-Ungeheuer schien zu zögern.

»Garner, Sohl, hören Sie zu. Zwölf Meilen von hier, etwa fünfzehn Meter unter dem Sand, liegt der Teil eines fremden Raumschiffs, gefüllt mit Wurzeln und Samenkörnern und Säkken voll Thalliumoxyd. Die Wurzeln, die ich mit diesen Samenkörnern züchten kann, vermögen einen Menschen beinahe unsterblich zu machen. Was nun? Was machen wir damit?«

Die beiden Männer sahen einander an. Luke schien etwas sagen zu wollen, machte den Mund aber wieder zu.

»Schwierig, wie? Aber Sie können sich denken, was Phssthpok erwartete, nicht wahr?« Brennan machte eine lange Pause. »Ich weiß nicht, ob ich Ihnen begreiflich machen kann, wie schnell das alles ging. In zwei Tagen haben wir wechselseitig unsere Sprachen gelernt. Er erzählte mir seine Lebensgeschichte. Wir sprachen über die Marsbewohner und dachten uns die praktischste Weise aus, sie auszurotten –«

»*Was?*«

»Sie auszurotten, Garner. Mensch, sie haben schon dreizehn Mann umgebracht! Wir haben praktisch ununterbrochen geredet, als ich wach war, und die ganze Zeit über waren wir beschäftigt: Gymnastik, damit ich kräftig wurde, Flossen für Phssthpok, damit er im Staub schwimmen konnte, Geräte, um jedes Atom Wasser und Luft aus dem Lebenssystem in den Stützpunkt zu schaffen. Ich kannte den Stützpunkt nicht; wir mußten uns die Konstruktion extrapolieren, damit wir sie wieder aufblasen und schützen konnten.

Am dritten Tag erklärte er mir, wie man den Baum des Lebens anpflanzt. Er hatte den Behälter geöffnet und sagte mir, wie man die Samen gefahrlos auftaut. Er gab mir Befehle wie einem Computer. Ich wollte fragen, ob ich überhaupt keine Wahl hätte. *Und ich hatte wirklich keine.*«

»Da komme ich nicht mit«, sagte Garner.

»Ich hatte keine Wahl. Ich war zu intelligent. So war es, seit ich aufgewacht war. Ich habe die Antworten, bevor ich die Frage zu Ende formulieren kann. Wo ist die Wahl, wenn ich die beste Lösung sofort immer sehe? Wo ist mein freier Wille? Sie können sich nicht vorstellen, wie schnell das alles ging. Ich sah blitzartig die ganze logische Folge. Ich knallte Phssthpoks Kopf hart auf die Kante der Kühltruhe. Er war betäubt, und ich konnte seine Kehle an der Kante zerschmettern. Dann sprang ich zurück, falls er angreifen sollte. Aber er griff nicht an. Er hatte es noch nicht ganz begriffen.«

»Es hört sich an wie Mord, Brennan. Er wollte Sie nicht töten?«

»Noch nicht. Ich war seine schimmernde Hoffnung. Er konnte sich nicht einmal verteidigen, aus Angst, mir wehzutun. Er war älter als ich und verstand zu kämpfen. Er hätte mich töten können, wenn er gewollt hätte, aber er konnte es nicht wollen. Er brauchte zweiunddreißigtausend Jahre realer Zeit, um uns diese Wurzeln zu bringen. Ich sollte die Aufgabe zu Ende führen. Ich glaube, er starb in dem Glauben, es geschafft zu haben. Er rechnete halb damit, daß ich ihn töten würde.«

»Brennan. *Warum*?«

Das Brennan-Ungeheuer zuckte die Schulterwülste.

»Er irrte sich. Ich habe ihn umgebracht, weil er versucht hätte, die Menschheit auszulöschen, wenn er die Wahrheit erfahren hätte.« Er griff in den aufgeschlitzten Sack, zog ein leise summendes Etwas heraus – sein Lufterneuerungsgerät, das er aus Teilen von Phssthpoks Armaturen gebaut hatte – und legte es ins Boot. Dann zog er eine halbe gelbe Wurzel heraus, die aussah wie eine rohe Süßkartoffel. Er hielt sie Garner unter die Nase. »Riechen Sie.«

Luke schnupperte.

»Ganz angenehm. Wie Likör.«

»Sohl?«

»Nicht schlecht. Wie schmeckt sie?«

»Wenn Sie wüßten, daß Sie damit so aussähen wie ich, würden Sie abbeißen? Garner?«

»Sofort. Ich möchte ewig leben und habe Angst davor, senil zu werden.«

»Sohl?«

»Nein! Ich will den Sex noch nicht aufgeben.«

»Wie alt sind Sie?«

»Vierundsiebzig. In zwei Monaten.«

»Sie sind schon zu alt. Sie waren mit Fünfzig zu alt; es hätte

Sie das Leben gekostet. Hätten Sie sich mit fünfundvierzig freiwillig gemeldet?«

»Bestimmt nicht«, sagte Nick lachend.

»Nun, das ist die halbe Antwort. Von Phssthpoks Standpunkt aus sind wir Versager. Hinzukommt, daß kein vernünftiger Mensch die Wurzel auf der Erde oder im Gürtel oder sonstwo freigeben würde.«

»Das möchte ich hoffen. Aber was ist *Ihr* Grund?«

»Der Krieg. Die Pak-Welt kannte in ihrer ganzen Geschichte keinen Frieden. Natürlich nicht, wenn jeder Protektor bestrebt ist, seine Nachkommen auf Kosten aller anderen zu vermehren und zu schützen. Das Wissen geht immer wieder verloren. Die Rasse kann keinen Augenblick zusammenarbeiten, jedenfalls nicht über den Punkt hinaus, wo ein Protektor die Gelegenheit sieht, einen Vorteil zu erlangen, wenn er die anderen verrät. Wegen dieses ständigen Kriegszustands können sie keine Fortschritte machen.

Und das soll ich auf die Erde loslassen? Können Sie sich vorstellen, daß tausend Protektoren beschließen, ihren Enkelkindern mehr Platz zu verschaffen? Eure achtzehn Milliarden Flachländer leben ohnehin schon nah am Abgrund. Außerdem brauchen wir den Baum des Lebens überhaupt nicht. Wann sind Sie geboren, Garner? Neunzehnvierzig oder so?«

»Neununddreißig.«

»Die Geriatrie macht solche Fortschritte, daß meine Kinder tausend Jahre leben könnten. Wir erreichen die Langlebigkeit ohne den Baum des Lebens, ohne irgend etwas opfern zu müssen.

Und jetzt betrachten Sie das Ganze von Phssthpoks Standpunkt aus«, fuhr das Brennan-Ungeheuer fort. »Wir sind eine Mutation. Wir haben das Sonnensystem besiedelt und mit ein paar interstellaren Kolonien begonnen. Wir werden und müssen die Wurzel zurückweisen, und selbst wenn sie uns aufgezwungen wird, sind die sich daraus ergebenden mutierten Protektoren atypisch. Phssthpok dachte auf weite Sicht. Wir sind nicht Pak, wir nützen den Pak nichts, und es ist vorstellbar, daß wir eines Tages die Kernsonnen erreichen. Die Pak werden uns sofort angreifen, wenn sie uns sehen, und wir werden auch kämpfen.« Er zuckte die Achseln. »Und wir werden siegen. Die Pak können sich nicht wirksam zusammenschließen. Aber wir. Wir werden eine bessere Technologie haben als sie.«

»Werden wir das?«

»Ich sagte doch, sie können ihre Technologie nicht halten. Was nicht sofort verwendet werden kann, geht verloren, bis jemand es in der Zentralbibliothek archiviert. Militärisches Wissen wird nie archiviert; die Familien bewahren es als tiefes, dunkles Geheimnis. Und die einzigen, die diese Bibliothek benützen, sind kinderlose Protektoren. Es gibt nicht viele davon, und sie sind nicht stark motiviert.«

»Hätten Sie nicht versuchen können, mit ihm zu reden?«

»Garner, Sie verstehen mich nicht. Er hätte mich sofort umgebracht, sobald er Bescheid gewußt hätte! Er war darauf abgerichtet, gegen Protektoren zu kämpfen. Ich hätte keine Chance gehabt. Dann hätte er versucht, die Menschheit auszurotten. Wir wären für ihn viel schlimmer gewesen als feindselige Fremdwesen. Wir sind eine Korruption der Pak selbst.«

»Aber er hätte es nicht geschafft. Er war ganz allein.«

»Mir sind fünf, sechs Dinge eingefallen, die er hätte tun können. Nichts davon todsicher, aber das Risiko konnte ich nicht eingehen.«

»Nennen Sie ein Beispiel.«

»Im gesamten Kongo-Nationalpark Bäume des Lebens pflanzen. Die Affen- und Schimpansen-Protektoren organisieren.«

»Er saß hier fest.«

»Er hätte ihr Schiff requirieren können. Er hätte Ihre alberne Signalwaffe so schnell gehabt wie ich. Meine Herren, darf ich darauf hinweisen, daß die Sonne gleich untergeht? Wir wollen doch nicht im Dunkeln durch den Ringwall.«

Luke startete den Motor.

»Hier Martin Shaeffer, Ceres. Ich rufe Nick Sohl an Bord der ›U Thant‹. Wir schicken die ›Blue Ox‹, Kapitän Eisaku Ikeda. Die ›Ox‹ müßte den Stützpunkt Olympus einen Tag nach der UNO-Flotte erreichen.

Einar Nilsson ist tot. Obduktionsbericht folgt.

Das Outsiderschiff wird abgeschleppt, aber es wird mühsame Arbeit. Es kann bis zu zwei Jahren dauern, bis wir es im Gürtel haben.

Nick, Vorsicht bei Tina Jordan. Sie hat einen schweren Schock erlitten. Ich glaube, sie gibt sich die Schuld an Einars Tod.

Wiederhole –«

Brennan wartete an der Leiter der ›U Thant‹, als Nick, Garner auf den Schultern, herankeuchte.

»Nick?« sagte Garner leise. »Trauen Sie ihm?«

»Ich glaube, er sagt die Wahrheit«, meinte Nick nach kurzem Zögern. »Er ist Gürtel-Bewohner, oder war es. Aber ich will Ihnen sagen, was mich überzeugt hat. Er hat nicht nach seiner Frau gefragt, weil die selbst mit sich fertig wird. Er hat nach der Fracht gefragt. Er ist ein Gürtel-Bewohner.«

»Dann akzeptieren wir also seine Geschichte. Samt Anthropologie und allem. Hui.«

»Seine Geschichte, ja. Luke, ich bringe Sie hinauf, dann hole ich Brennan. Aber ich komme nicht herunter, bevor Sie mit Ceres gesprochen haben. Es soll alles aufgezeichnet sein, wenn ich ihn ins Schiff lasse. Seine Motive sind mir immer noch nicht klar.«

»Ah.«

»Er hat es selbst gesagt. Bei einem Protektor wandeln sich die Motive.«

Garner schaltete schon wieder ab, als Brennan sich aus seinem Ballon schälte. Brennan ging nicht auf die Verzögerung ein.

»Ich komme auch ohne Beschleunigungsliege aus, wenn Platzmangel ist«, sagte er. »Ich kann draußen in einem Frachtnetz mitfliegen, wenn ich eine Funkverbindung bekomme. Wenn mein selbstgebasteltes Sauerstoffgerät versagt, will ich ganz schnell rein.«

»Das wird nicht nötig sein«, sagte Nick. »Es ist eng, aber

nicht so eng.« Er zwängte sich an Brennan vorbei zum Steuersessel. »Wir haben eine Nachricht bekommen.«

Sie hörten sich stumm die Aufzeichnung von Lit Shaeffers
Mitteilung an.

»Schade um Nilsson«, sagte Brennan danach. »Sie hätten ihn
kaum genug von der Wurzel essen lassen, selbst wenn er nicht
schon über das Alter hinausgewesen wäre.«

Niemand antwortete.

»Lit hat übrigens recht, es wird Jahre dauern, das Outsiderschiff heimzuschleppen. Ich habe eine bessere Idee. Ich fliege es
in den Gürtel. Die Steuerung ist nicht sehr kompliziert. Ihr
braucht mir nur Treibstoff zu geben und mich hinzubringen.«

»Aha. Und die Frachtkapsel lassen wir, wo sie ist?«

»Nein. Sie enthält einen Schwerkraft-Polarisator.«

»Oh?«

»Ganz zu schweigen von den Wurzeln, die ich brauche, wenn
auch Ihr nicht. Die Samenkörner zählen auch. Wenn Sie das
Ausmaß meiner großartigen Intelligenz endlich begriffen
haben, erkennen Sie, was die Samen bedeuten. Sie sind eine
letzte Sicherheit für die Menschheit. Wenn wir jemals wirklich
einen großen Führer brauchen, können wir einen machen. Wir
nehmen einen zweiundvierzig Jahre alten Freiwilligen und setzen ihn oder sie zu dem Baum des Lebens.«

»Ich weiß nicht, ob mir das behagt«, meinte Garner.

»Der Schwerkraft-Polarisator ist ja wichtig genug. Sie und
die UNO-Flotte können ihn holen, während Nick und ich zu
Phssthpoks Schiff –«

»Augenblick –« sagte Nick.

»Wegen der Marsbewohner brauchen Sie sich zunächst keine
Gedanken zu machen. Ich habe Phssthpoks Wasseranteil in den
Staub laufen lassen. Daß niemand ohne Druckanzug in die
Kapsel steigt! Muß ich deutlicher werden?«

»Nein«, sagte Garner hilflos.

»Halt mal«, sagte Nick. »Wie kommen Sie darauf, daß wir
Ihnen das Outsiderschiff anvertrauen?«

»Lassen Sie sich Zeit. Denken Sie gründlich nach«, sagte
Brennan. »Sie haben meinen Wurzelvorrat als Geisel. Und

wohin soll ich mit einem Bussard-Antrieb? Wo verkaufe ich ihn? Wo verstecke ich mich, mit meinem Gesicht?«

Nicks Miene wirkte starr. Wo war *sein* freier Wille?

»Das ist wohl der wertvollste Gegenstand im Weltraum, soweit er den Menschen gehört«, sagte Brennan. »Er fällt mit einigen hundert Meilen pro Sekunde nach außen. Jede Minute, die Sie zögern, kostet uns ein paar Stunden Rückflug. Aber lassen Sie sich Zeit. Denken Sie nach.«

Sie ließen Lucas Garner auf Phobos zurück, tankten auf und starteten. Garner sah Nick sieben Monate nicht. Brennan sah er überhaupt nicht wieder.

Für den Rest seines Lebens erinnerte er sich an das Gespräch in der Enge des kleinen Raumschiffs, als sie den Mars hinter sich gelassen hatten.

»Nick, können Sie verlauten lassen, daß der Outsider mich umgebracht hat?« sagte Brennan plötzlich.

»Was? Wozu?«

»Für meine Kinder ist es das Beste. Ich könnte sie nicht wieder sehen, ohne ihr Leben stark zu beeinflussen. Für Charlotte ist es auch besser so. Ich habe nicht vor, mich der Gesellschaft wieder anzuschließen.«

»Im Gürtel sieht man auf Krüppel nicht herab, Brennan.«

»Nein«, sagte Brennan endgültig. »Geben Sie mir einen Asteroiden, den ich bewohnen kann, und ich züchte den Baum des Lebens. Jeden Monat melde ich mich einmal bei Ceres, um auf dem Laufenden zu sein. Ich kann für alles mit neuen Erfindungen bezahlen. Ich glaube, ich kann einen bemannten Staustrahlroboter bauen, der besser ist als Phssthpoks Schiff.«

»Sie sagen immer ›Baum des Lebens‹?« meinte Garner.

»Ein guter Name. Sie erinnern sich, daß Adam und Eva vom Baum der Erkenntnis, der Erkenntnis von Gut und Böse, gegessen haben. Nach dem ersten Buch Moses warf man sie aus dem Paradies, weil sie vielleicht auch vom Baum des Lebens gegessen haben könnten, um ewig zu leben. Jetzt sieht es so aus, als sei das einundderselbe Baum gewesen.«

»Ich weiß nicht recht, ob mir gefällt, daß Sie diese Pflanzen anbauen«, sagte Luke.

»Mir gefällt die Vorstellung nicht, daß es im Gürtel ein Staatsgeheimnis gibt. Das war noch nie da«, meinte Nick.

»Ich hoffe, daß ich Sie überzeugen kann. Ich kann meine Kinder nicht schützen, aber versuchen, die Menschheit zu beschützen. Wenn man mich brauchte, wäre ich da. Wenn man mehr brauchte, wäre die Wurzel vorhanden.«

»Die Heilung wäre wahrscheinlich schlimmer als das Leiden.« Luke griff nach einer Zigarette und wollte sie anzünden. »Wa –« Eine knorrige Hand griff nach der Zigarette und zerdrückte sie.

Es war ein Schock gewesen. Er erinnerte sich fröstelnd, als er durch die Doppelschleuse auf Farmer's Asteroid trat.

Nick Sohl kam ihm entgegen und half ihm zu einem Reisestuhl.

»Ich kann mir denken, warum Sie hier sind«, sagte Nick.

»Offiziell im Auftrag der Behörde für Interstellar-Kolonien, wegen Ihres Ersuchens, eine Warnmeldung an Wunderland zu geben. Man kannte sich nicht aus, und ich konnte auch nicht viel beitragen.«

»Sie haben meinen Bericht«, sagte Nick etwas steif. »Aber ich gebe zu, es war nicht viel. Wir haben nicht einfach aufgegeben, wissen Sie. Wir verfolgen ihn immer noch.«

»Was ist passiert, Nick?«

»Als ich mit Brennan ankam, war allerhand Arbeit geleistet. Man wollte zwei Einstufenschiffe zusammenspannen, die Antriebsrohre zehn Grad auseinander, um dann das Pak-Schiff anzuhängen. Brennan sagte aber, der Pak-Antriebsteil liefere den zehnfachen Schub.

Wir gingen an Bord, und Brennan spielte mit der Steuerung herum. Ich beobachtete ihn zwei Tage lang. Es stellte sich heraus, daß man die ganze Hülle durchgängig machen kann, oder auch nur einen Teil. Wir erweiterten das Loch, das Tina Jordan hineingeschweißt hatte, und bauten eine Luftschleuse ein. Brennan sagte schließlich, jetzt kenne er sich aus, und wir brauchten nur aufzutanken. Wenn wir das Schiff rücklings abzuschleppen versuchten, gäbe es nur Ärger, meinte er. Woher sollte ich wissen —«

»Eben. Es ergibt noch immer keinen Sinn.«

»Er startete zurück zur Sonne. Wir versuchten, mit ihm in Formation zu fliegen, aber er stellte verschiedene Manöver an, um das Schiff auszuprobieren. Wir hielten Abstand. Dann – wendete er einfach und flog hinaus in den interstellaren Raum.«

»Sie haben versucht, ihn einzufangen?«

»Versucht? Wir sind neben ihm hergeflogen! Ich wollte keine Drohgesten machen, aber er ließ sich auf keinen Kontakt ein, und uns ging langsam der Treibstoff aus. Ich wies Dubchek und Gorton an, ihre Antriebe als Waffen zu gebrauchen, wenn er nicht nachgebe.«

»Und dann?«

»Ich glaube, er hat sein Bussard-Staustrahlfeld eingeschaltet. Die elektromagnetischen Strahlungen demolierten unsere Geräte, bis wir hilflos dahingen. Ein Glück, daß die Antriebe nicht explodiert sind. Ein Treibstofftanker erreichte uns endlich, und wir reparierten die Anlagen. Inzwischen hatte Brennan Ansaugfeldgeschwindigkeit.«

»Verstehe.«

»Woher sollte ich das wissen? Wir haben seine Vorräte. Der Wurzelbehälter war fast leer. War das nur eine ausgefallene Weise, Selbstmord zu begehen? Hatte er Angst davor, was wir mit einem bemannten Bussard-Staustrahl-Schiff anstellen würden?«

»Daran habe ich gar nicht gedacht. Wissen Sie, das könnte es sein. Nick, wissen Sie noch, wie er meine Zigarette ausgedrückt hat?«

»Sicher«, sagte Nick lachend. »Er hat sich tausendmal entschuldigt, aber rauchen ließ er Sie nicht. Ich dachte, Sie würden ihm eine Ohrfeige geben.«

»Er ist ein Protektor. Was er auch tut, es ist zu unserem Besten. Er wollte nicht, daß wir das Pak-Schiff besitzen oder mehr darüber erfahren könnten.«

»Warum hat er dann zwei Monate außerhalb der Pluto-Bahn

verbracht? Auf halbem Weg macht man doch mit einem Bussard-Antrieb nicht Halt! Und da draußen ist nichts –«

»Der Kometengürtel. Die meisten Kometen schwirren außerhalb der Pluto-Bahn herum. Es gibt Materie, auch wenn sie dünn verteilt ist. Und einen zehnten Planeten.«

»Er ist nicht in die Nähe von Persephone gekommen.«

»Aber vielleicht zu Kometen.«

»Gut. Er hat da zwei Monate verbracht. Vorigen Monat setzte er sich wieder in Bewegung. Er beschleunigt Richtung Alpha Centauri. Wunderland.«

»Wie lange braucht er?«

»Ach, auf jeden Fall zwanzig Jahre. Aber wir können die Leute warnen und alles so einrichten, daß unsere Nachfolger sie in fünfzehn Jahren noch einmal warnen. Für alle Fälle.«

»Gut. Was noch? Sie wissen, daß wir die Frachtkapsel heraufgeholt haben?«

»Das ist alles, was wir wissen.«

»Wir haben die Wurzeln und Samenkörner vernichtet. Keiner war begeistert davon, aber wir haben es getan.«

Es dauerte lange, bis Nick antwortete: »Gut.«

»Gut oder schlecht, wir haben es getan. Den Schwerkraft-Polarisator versteht kein Mensch. Wenn es einer ist. Vielleicht hat Brennan gelogen.«

»Es war ein Schwerkraft-Polarisator.«

»Woher wissen Sie denn das so genau?«

»Wir haben den Flug des Outsiders zum Mars analysiert. Seine Beschleunigung variierte nach örtlichen Schwerkraftgradienten, nicht nur dem Schub, auch der Richtung nach.«

»Na gut, das ist nützlich. Was können wir sonst tun?«

»Was Brennan angeht, nichts. Irgendwann wird er verhungern. Inzwischen wissen wir immer, wo er ist.«

»Oder wo seine Einpoler-Quelle ist.«

»Ohne die hat er kein Schiff«, meinte Nick ungeduldig. »Er hat nichts zu essen, aus. Er ist *tot*, Garner.«

»Ich denke immer wieder daran, daß er schlauer ist als wir. Wenn er Winterschlaf halten kann, erreicht er Wunderland. Eine blühende Kolonie – na und? Was will er da?«

»Etwas, wovon wir nichts ahnen.«

»Ich erfahre es nie. Ich bin tot, bis Brennan Wunderland erreicht.« Luke seufzte. »Der arme Outsider. Den ganzen weiten Weg mit den Wurzeln, damit wir ein normales Leben führen.«

»Seine Absichten waren gut. Das Leben meint es nicht gut mit uns Helden«, sagte Nick ernsthaft.


## ZWISCHENSPIEL

Wie eine Lücke von zwei Jahrhunderten beschreiben? An Ereignissen wird die Zeit gemessen. In zweihundertzwanzig Jahren geschah vieles.

Die mumifizierte Leiche Phssthpoks landete im Smithsonian-Institut. Es gab Diskussionen darüber, ob sie den Hominiden zuzuschlagen sei. Seine Geschichte kam jetzt aus dritter Hand, weil Brennan nicht verfügbar war, aber sein Skelett entsprach der Hominiden-Knochenstruktur, Knochen für Knochen.

Lucas Garner war tot, als das Pak-Schiff die Hälfte des Weges zurückgelegt hatte und nicht nach Wunderland flog. Nick Sohl betrachtete die Magnetspur und machte sich seine Gedanken.

Der Stützpunkt Olympus auf dem Mars wurde wieder aufgebaut, damit man Phssthpoks Frachtkapsel an Ort und Stelle studieren konnte, weil das einfacher war, als sie gegen die Schwerkraft heben zu wollen, während der Polarisator noch lief. Der Staub unter der Kapsel wurde zu Gestein verschmolzen, als Schutz gegen die Marsbewohner.

Die Gürtel-Bevölkerung wuchs beträchtlich. Kuppelwelten wurden immer zahlreicher, manche mit Antrieb. Das Schürfen wurde schwieriger; die besten Stätten waren ausgebeutet. In den größeren Gesteinsbrocken florierten Städte. Immer weniger Gürtel-Bewohner gebrauchten Einstufenschiffe.

Ein großer Eis-Asteroid stürzte auf den Mars, verursachte Staubstürme und kleinere Beben, die den Stützpunkt beunruhigten.

Die interstellaren Kolonien blühten und wandelten sich. Jinx entwickelte weitläufige Vakuumindustrien, auf Plateau wurde die Gesellschaft repressiv. Die Bevölkerung von Wunderland wuchs und breitete sich über dem Großkontinent verstreut aus, so daß erst langsam Städte entstanden. Auf ›Wir Sind Da‹ entwickelte sich die Zivilisation unterirdisch, weil Sommer und Winter Orkane über die Oberfläche fegten. ›Heimat‹ wurde besiedelt und florierte, Nutzen aus neuen Techniken und früheren Fehlern der anderen ziehend.

Laserstrahlen gingen zwischen Erde und Kolonien hin und her, und gelegentlich verließen Staustrahlroboter den Linearbeschleuniger auf Juno, um Fracht von neuem Wissen zu transportieren. Nachrichten von den Kolonien waren spärlich, obwohl Jinx und Heimat gute Kommunikations-Laseranlagen hatten.

Das Drogenproblem auf der Erde war zu Lucas Garners Zeit keine Frage mehr. Potentiell Süchtige wurden lieber Kabelköpfe; das Erlebnis war umfassender, und Strom war billig. Kabelköpfe stören keinen; dieses Problem war nie ernster Natur. Bis 2340 hatte es sich praktisch von selbst gelöst.

Die Erdbevölkerung blieb stabil, notfalls mit Gewalt.

Den Schwerkraft-Polarisator konnte niemand verstehen.

Verbesserte Alloplastik – Geräte statt Organverpflanzungen – trug dazu bei, das Problem der Organbanken zu lösen. Die UN-Bürgerschaft empfahl sogar, die Todesstrafe für bestimmte Verbrechen aufzuheben: Steuerhinterziehung, illegale Werbung. Die Macht der UNO-Polizei wurde eingeschränkt.

Krieg in größerem Maßstab war seit geraumer Zeit unbekannt.

Das Leben im Sonnensystem war ziemlich idyllisch geworden . . .


## VANDERVECKEN

*I Die Perversität des Universums neigt zum Maximum.*
*II Wenn etwas schiefgehen kann, tut es das.*
– Finagles Erstes und Zweites Gesetz

Er erwachte von der brennenden Kälte an Nase und Wangen, setzte sich auf und sah schwarze Nacht und klare, helle Sterne.

Er war am Morgen auf Wanderung durch die Pinnacles gegangen. Durch die Höhlen, den steilen, schmalen Weg zwischen Manzanita und Leere, bis hinauf, wo im Fels Stufen geschlagen und ein Drahtseil angebracht waren. Und dann?

Offenbar war er immer noch auf halber Höhe des Berges, wo er den Mumienschlafsack auf den Weg gelegt hatte.

Er konnte sich nicht erinnern, eingeschlafen zu sein. Und den Rucksack hatte er doch im Wagen gelassen.

Die Wege waren schon bei Tag gefährlich genug. Elroy Truesdale dachte nicht daran, sie im Dunkeln in Angriff zu nehmen. Er genehmigte sich einen Mitternachtsimbiß aus seinem Rucksack – der eigentlich im Auto liegen sollte und jetzt neben ihm stand – und wartete auf den Morgen.

In der Morgendämmerung stieg er hinunter und sang laut vor sich hin. Die Sonne stand hoch am Himmel, als er den Parkplatz erreichte.

Der Wagen war abgesperrt. Er pfiff nicht mehr vor sich hin. Das Ganze ergab keinen Sinn. Als er den Kofferraum öffnete, rechnete er halb mit einer Leiche. Er fand nicht einmal Blutspuren. Er war erleichtert und enttäuscht.

Auf der Unterhaltungsanlage lag eine Spule. Er schob sie in den Schlitz und hörte sich die Aufzeichnung an.

›Truesdale, hier spricht Vandervecken. Inzwischen ist Ihnen vielleicht klargeworden, oder auch nicht, daß in Ihrem jungen Leben vier Monate fehlen. Dafür entschuldige ich mich. Es war notwendig, und Sie können vier Monate entbehren, außerdem bezahle ich gut dafür. Ganz kurz: Sie erhalten für den Rest Ihres Lebens jedes Vierteljahr fünfhundert UN-Mark, vorausgesetzt, Sie versuchen nicht herauszufinden, wer ich bin.

Nach Ihrer Rückkehr werden Sie eine Bestätigungsspule von Barrett, Hubbard & Wu finden, die Ihnen Einzelheiten verrät.

Glauben Sie mir, in diesen vier Monaten, an die Sie sich nicht erinnern können, haben Sie nichts Kriminelles getan. Sie haben Dinge getan, die Sie interessant finden würden, aber dafür ist das Geld.

Es würde Ihnen ohnehin schwerfallen, mir auf die Spur zu kommen. Eine Stimmenanalyse würde Ihnen nichts verraten. Barrett, Hubbard & Wu wissen nichts von mir. Die Bemühung wäre teuer und fruchtlos, und ich hoffe, Sie verzichten darauf.‹

Elroy zuckte nicht zurück, als ätzender Rauch aus der Spule aufstieg. Damit hatte er halb gerechnet. Außerdem hatte er die Stimme erkannt. Es war seine eigene.

»Du lügst dich doch nicht selber an, Roy, oder?« sagte er.

Dann stieg er aus und ging zum Touristenbüro, um ein Zeitungsband zu kaufen. Sein Gerät funktionierte noch, auch wenn die Nachrichtenspule verkohlt war. Er spielte die andere Spule ab, um das Datum zu erfahren. 9. Januar 2341.

Es war der 8. September 2340 gewesen. Er hatte Weihnachten und Neujahr und vier Monate versäumt, *womit*? Wütend griff er nach dem Autotelefon. Wer behandelte Entführungen? Die örtliche Polizei oder die UNO? Lange hielt er den Hörer in der Hand, dann legte er wieder auf. Es war ihm klargeworden, daß er die Polizei nicht verständigen würde.

Auf dem Rückflug nach San Diego wand sich Elroy Truesdale in einer Art Falle.

Er hatte seine erste und bisher einzige Ehefrau verloren, weil es ihm so schwerfiel, Geld auszugeben. Sie hatte ihm oft genug erklärt, daß das ein Charakterfehler sei. Niemand sonst sei davon befallen.

Dabei war er nicht immer so gewesen. Truesdale hatte von Geburt an ein ordentliches Einkommen aus einem Treuhänderfonds besessen, wollte aber mehr. Mit fünfundzwanzig Jahren überredete er seinen Vater dazu, ihm das Kapital zu überlassen. Er wollte investieren.

Er wäre auch reich geworden, so, wie es sich angehört hatte. Aber es hatte eine ganz komplizierte Betrugsgeschichte gegeben. Irgendwo auf der Erde oder im Gürtel lebte jetzt ein Mann, der wahrhaftig Lawrence St. John McGee heißen mochte oder auch nicht, im Luxus. Er konnte nicht alles ausgegeben haben.

Und jetzt – zweitausend im Jahr für das ganze Leben. Er konnte es einfach nicht ablehnen.

Er erkundigte sich bei Barrett, Hubbart & Wu und erfuhr, daß alles seine Richtigkeit hatte.

Zweitausend im Jahr. Ein exorbitanter Preis für vier Monate. Was war in den vier Monaten geschehen?

Nach einiger Zeit hörte Truesdale die weiteren, in seinem Heimapparat gespeicherten Anrufe ab. Und ging zur Polizei. Zur UNO-Polizei.

»Warum doch zu uns?« fragte der UNOP-Leutnant, als Truesdale ihm die Geschichte erzählt hatte.

»Weil ich noch eine Nachricht bekommen habe. Sagt Ihnen der Name Mrs. Estelle Randall etwas?«

»Nein. Moment mal. Estelle Randall? Präsidentin des Struldbrug-Klubs bis – ähm.«

»Sie war meine Urururur-Großmutter.«

»Und ist vorigen Monat gestorben. Mein Beileid.«

»Danke. Ich habe sie kaum je gesehen. Sie war die älteste Frau der Welt. Hundertdreiundsiebzig, als ich auf die Welt kam. Ich habe rund eine halbe Million UNO-Mark geerbt.«

»Aha. Und jetzt brauchen Sie Vanderveckens Geld nicht mehr.«

»Und ihren Geburtstag habe ich durch den Halunken auch verpaßt.«

Der UNOP-Leutnant lehnte sich zurück.

»Eine merkwürdige Geschichte. Ich habe noch nie von einer Amnesie gehört, die überhaupt keine Erinnerung zurückläßt.«

»Ich auch nicht. Ich erinnere mich nicht einmal, eingeschlafen zu sein.«

»Na gut, versuchen wir es mit Tiefenhypnose. Ich muß Sie darauf hinweisen, daß Sie nicht straflos davonkommen, wenn sich herausstellen sollte, daß Sie in der Zeit eine Straftat begangen haben.«

»Das riskiere ich.«

»Sehr merkwürdig«, sagte Dr. Michaela Shorter. »Sie erinnern sich nicht nur an nichts aus diesen vier Monaten, Sie haben nicht einmal wahrgenommen, daß Zeit vergangen ist. Sie haben nicht geträumt.«

Der Leutnant saß in einer Ecke.

»Kennen Sie Drogen, die so etwas erzeugen könnten?«

Die Ärztin schüttelte den Kopf.

»Dann scheint jemand etwas ganz Neues erfunden zu haben.«


Trotz der Erbschaft gab Truesdale seine Stellung als Schuhverkäufer nicht sofort auf, sondern arbeitete noch vier Wochen, weil er sich mit seinem Chef immer gut verstanden hatte. In der Freizeit plante er einen längeren Urlaub.

Am Tag vor seiner Abreise suchte er den UNOP-Leutnant noch einmal auf. Den Namen vergaß er immer wieder. Ah ja, Robinson.

»Wir wissen immer noch nicht, wer Sie entführt hat«, sagte Robinson. »Das Geld konnten wir nicht zurückverfolgen, aber von Ihnen selbst kommt es nicht.« Er hob den Kopf. »Sie scheinen nicht überrascht zu sein.«

»Ich war überzeugt davon, daß Sie mich überprüfen.«

»Richtig. Unterstellen wir einmal, daß jemand mit dem Namen Vandervecken eine neue Amnesie-Methode erfunden hat. Er verkauft sie vielleicht an Leute, die Verbrechen begehen wollen – etwa einen Verwandten ermorden, der Erbschaft wegen.«

»Das hätte ich Estelle nie angetan.«

»Sie haben es auch nicht getan. Abgesehen davon haben wir noch zwei Fälle Ihrer Art gefunden.« Er drückte auf eine Computertaste. »Eine Mary Boethals, die 2220 vier Monate lang verschwunden war. Sie zeigte es nicht an. Man interessierte sich für sie, weil sie ein Nierenleiden nicht mehr behandeln ließ. Sie hatte Organersatz bekommen. Aber sie erzählte eine ähnliche Geschichte wie Sie. Dann ein Charles Mow, verschwunden 2241, vier Monate danach zurückgekommen. Auch er bekam Geld, verlor es aber wegen einer Unterschlagung, so daß er sich an uns wandte. Und dann hundert Jahre nichts – bis Sie auftauchten. Wir scheinen also nach einem Struldbrug zu suchen.

Der früheste Fall liegt hundertzwanzig Jahre zurück. Der Name Vandervecken paßt. Aber wir haben keinen Verdächtigen.«

»Haben Sie sich beim Gürtel erkundigt?«

»Nein, wieso?«

»Nur ein Gedanke.«

»Wir können ja fragen. Vielleicht gibt es vergleichbare Fälle. Ich weiß aber nicht, wie es von hier aus weitergehen soll. Wir wissen nicht, warum es gemacht wurde, und auch nicht, wie.«

Es gab in den nationalen und internationalen Parks der Erde zuwenig Platz für alle Wanderer. Die Wartezeit für den Amazonas-Dschungel betrug zwei Jahre, ähnlich sah es bei anderen Parks aus.

Elroy Truesdale schleppte seinen Rucksack durch London, Paris, Rom, Madrid, Marokko und Kairo. Er sah die Pyramiden, den Eiffelturm, den Tower von London, den Schiefen Turm – der jetzt gestützt werden mußte.

Überall traf er Wandererkollegen. Nach einem Monat hatte er noch immer nicht genug. Er wollte die ganze Erde sehen. Die Absage eines anderen verschaffte ihm eine Zulassung für den australischen Busch. Er verbrachte dort eine Woche, weil er den weiten Raum und die Stille brauchte.

Dann kam er nach Sydney, wo er ein Mädchen mit Gürtelbewohner-Frisur kennenlernte.

Er sprach sie an einem großen Lagerfeuer an und erzählte ihr die Geschichte von seiner Entführung.

»Warum kommen Sie damit zu mir?« fragte sie.

»Ich weiß nicht. Vielleicht hat es im Gürtel auch so etwas gegeben.«

»Keine Ahnung. Wenn jemand etwas weiß, dann höchstens die Zollbehörde.«

»Danke«, sagte Truesdale und kroch in seinen Schlafsack.

Er hatte an der falschen Stelle gesucht.

Beim Frühstück kam das Mädchen auf ihn zu.

»Ich heiße Alice Jordan.«

»Roy Truesdale. Auch ein paar Eier?« »Danke.« Sie gab ihm ein Päckchen, das er ins Wasser entleerte. Sie wirkte heute anders, ausgeruht, jünger, weniger abschreckend.

»Mir ist gestern nacht etwas eingefallen. Es gibt wirklich solche Fälle. Ich bin selbst beim Zoll und habe davon gehört, ohne mich aber darum zu kümmern.«

»Sie sind beim Zoll?« Eine Polizistin? Sie war genauso groß wie er und hatte kräftige Muskeln.

»Ich bin auch schon Schmugglerin gewesen«, meinte sie. »Eines Tages sagte ich mir, daß der Gürtel das Geld dringender braucht als die Schmuggler.«

»Vielleicht muß ich doch zum Gürtel«, meinte er leichthin.

»Erzählen Sie mir mehr über diesen Vandervecken. Sind Sie gleich zur Polizei gegangen?«

»Nein.«

»Mir ist nämlich eingefallen, daß die Opfer aus dem Hauptgürtel geholt wurden, vier Monate wegblieben und dann bestochen wurden. Bei Ihnen war die Summe wohl nicht groß genug.«

»Beinahe. Aber wenn die meisten annehmen, wie erfahren Sie dann davon?«

»Ein Schiff, das verschwindet, ist nicht so leicht zu verstekken. Meist verschwinden die Schiffe aus dem Hauptgürtel und tauchen vier Monate später an der richtigen Stelle ihrer Umlaufbahn auf. Wenn Teleskope sie in diesen vier Monaten aber nicht finden, werden Fragen gestellt.«

Sie schütteten die Eierreste aus ihren reibungslosen Tassen und füllten sie mit Kaffeepulver und kochendem Wasser.

»Es gibt einige Fälle dieser Art, und sie sind alle unaufgeklärt«, meinte sie. »Manche bei uns glauben, es sei der Outsider, der sich Proben holt.«

»Outsider?«

»Das erste außerirdische Lebewesen, dem der Mensch begegnen wird.«

»Wie die Meer-Statue? Oder das Wesen, das auf dem Mars gelandet ist, als –«

»Nein, nein«, sagte sie ungeduldig. »Die Meer-Statue ist auf dem Kontinentalsockel der Erde ausgegraben worden. Sie lag da über eine Milliarde Jahre. Was den Pak angeht, so war das ein Zweig der Menschheit, soviel man weiß. Nein, auf den echten Outsider warten wir noch. Ich bin allerdings nicht auf den Gedanken gekommen, daß er vielleicht auch Flachländer als Proben nimmt.«

Er lachte.

»Danke.«

»War nicht so gemeint.«

»Wo sind Sie eigentlich stationiert? Auf Ceres?«

»Vesta. Viel Glück.«

»Viel Glück.«

Er besuchte Brasilia und Sao Paulo und Rio de Janeiro. Er sah Chichen Itza, und als er nach Washington zurückkam, ließ ihm der Diebstahl von vier Monaten seines Lebens immer noch keine Ruhe.

Er besuchte das Smithsonian-Institut.

Der Pak war eine uralte, müde Mumie. Das Gesicht wirkte hart und unmenschlich, ohne Ausdruck. Der Kopf war unnatürlich verdreht, die Arme hingen schlaff herab. Truesdale las die Geschichte im Führer nach und spürte Mitleid. Er war so weit geflogen, um uns alle zu retten . . .

Draußen gab es also *Wesen*. Das Universum war tief genug, um alles Mögliche in sich zu bergen. Wenn die Menschheit wirklich probeweise untersucht wurde, fragte sich nur, warum das Wesen sich die Mühe machte, und warum es sie vor allem zurückgab.

Er zermarterte sich das Gehirn und kam nicht weiter.

Er wanderte am Mississippi entlang und kletterte in den Rocky Mountains herum. Dort brach er sich ein Bein und mußte ausgeflogen werden. Danach hatte er genug.

Die Polizei von San Diego wußte nichts Neues über Lawrence St. John McGee. Man hatte es ein bißchen satt, von Truesdale immer wieder belästigt zu werden.

Er ging zur UNO-Polizei.

»Wir arbeiten daran«, sagte Robinson. »Ein so seltsamer Fall wird nicht abgelegt. Vielmehr – na, schon gut.«

»Was denn?«

Robinson grinste.

»Es gibt eigentlich keinen Zusammenhang. Ich habe den Zentralcomputer nach anderen ungeklärten Verbrechen befragt. Da gibt es tolle Dinge. Haben Sie von dem Stonehenge-Duplikat gehört?«

»Sicher. Ich war vor sechs Wochen dort.«

»Ist das nicht verblüffend? Irgendein Spaßvogel hat das Duplikat in einer einzigen Nacht hingestellt. Am nächsten Morgen – zwei Stonejenges. Man kann sie nur durch die Position unterscheiden: das Duplikat steht ein paar hundert Meter weiter nördlich.«

»Ich weiß. Ein teurer Spaß.«

»Wir wissen auch nicht, welches das echte Stonehenge ist. Angenommen, der Kauz hat die beiden ausgetauscht?«

»Sagen Sie das bloß keinem.«

Robinson lachte.

»Haben Sie vom Gürtel etwas erfahren?«

Robinson wurde ernst.

»Ja. Ein halbes Dutzend bekannter Fälle, Entführung und Gedächtnisverlust, keiner geklärt. Für mich kann es nach wie vor nur ein Struldbrug sein.«

»Und er ist immer noch dabei?«

»Oder sein Enkel hat weitergemacht.« Robinson seufzte. »Keine Sorge, wir erwischen ihn schon.«

»Na klar. Sind ja erst hundertzwanzig Jahre.«

»Nur nicht drängeln«, sagte Robinson.

Und das gab den Ausschlag.


Das Zentrum der Zollpolizeiaktivitäten war auch das Regierungszentrum: Ceres. Polizeizentralen auf Pallas, Juno, Vesta und Astraea leisteten ergänzende Arbeit.

Vesta war der kleinste der fünf Asteroiden. Die Städte lagen auf der Oberfläche, unter vier großen Doppelkuppeln.

Alice Jordan betrat die Schleuse nach einem Einsatz bei der Schmugglerstreife. Sie zog ihren Druckanzug aus und meldete sich bei ihrer Vorgesetzten, Vinnie Garcia.

»Kein Glück gehabt.«

Vinnie grinste sie an. Sie war dunkelhäutig und biegsam, mit langen, schlanken Fingern: weit eher der Gürtelbewohner-Stereotyp als Alice Jordan.

»Aber auf der Erde.«

»Wieso? Sie haben doch meinen Bericht.« Alice Jordan hatte auf der Erde ein soziologisches Problem lösen wollen, das sich jetzt auch im Gürtel zeigte: die Kabelköpfe. Der Erfolg war gering gewesen. Man mußte zuwarten.

»Das meine ich nicht. Sie haben eine Eroberung gemacht. In Ihrem Büro wartet ein Flachländer.«


Er versuchte aufzustehen, als sie hereinkam. In der niedrigen Schwerkraft ging das ein bißchen daneben, aber er bekam die Füße wieder auf den Boden.

»Hallo. Roy Truesdale«, sagte er, bevor sie in ihrem Gedächtnis suchen mußte.

»Willkommen auf Vesta«, sagte sie. »Sie sind also doch gekommen. Immer noch hinter dem Entführer her?«

»Ja.«

Sie setzte sich an ihren Schreibtisch.

»Erzählen Sie.«

»Die Polizei scheint keine Fortschritte zu machen«, meinte er. »Schlimmer noch, es hat den Anschein, als jage sie schon seit hundertzwanzig *Jahren* hinter Vandervecken her. Ich verlor die Geduld und wollte zum Gürtel, mußte aber drei Monate auf einen Platz warten. Außerdem ist noch etwas geschehen. Man hat Lawrence St. John McGee gefunden, der mir vor zehn Jahren alles abgenommen hat, was ich besaß.«

»Tut mir leid. So etwas kommt vor.«

»Er nannte sich jetzt Ellery Jones aus St. Louis. Neue Fingerabdrücke, neue Retinamuster, neues Gesicht. Irgend jemand, den er hereingelegt hatte, zeigte ihn an. Man mußte eine Gehirnwellenanalyse machen, bevor man Gewißheit hatte, daß er es war. Ich bekomme vielleicht sogar Geld zurück.«

»Gratuliere.«

»Vandervecken hat ihn hochgehen lassen. Ein zweiter Bestechungsversuch.«

»Sind Sie sicher? Hat er den Namen gebraucht?«

»Nein. Er muß sich gesagt haben, daß ich ihn suche, weil er mich beraubt hat, um vier Monate meines Lebens. Da warf er mir McGee hin, damit ich mir keine Gedanken mehr mache.«

»Sie mögen es nicht, wenn man so genau vorherbestimmt, was Sie tun werden.«

»Genau.«

»Vandervecken könnte eine Nummer zu groß für uns sein«, sagte sie.

»Schon besser«, sagte er zu ihrer Überraschung. »Was haben Sie herausgefunden?«

»Na ja – ich war auch hinter ihm her.« Sie drückte auf den Computeranschluß. »Ein halbes Dutzend Fälle. Und Daten: 2150, 2191, 2230, 2250, 2270, 2331. Ich habe mit dem letzten Betroffenen gesprochen, einem Lawrence Jannifer, aber er kann sich an ebensowenig erinnern wie Sie.«

»Ist noch ein anderer Betroffener erreichbar?«

»Dandrige Sukarno und Norma Stier, verschwunden 2270 und 2230. Sie wollten mit mir nichts zu tun haben.«

»Er scheint alle zehn Jahre eine Probe zu nehmen, abwechselnd zwischen Erde und Gürtel.« Truesdale pfiff plötzlich durch die Zähne. »2150, das liegt fast zweihundert Jahre zurück. Kein Wunder, daß er sich Vandervecken genannt hat.«

Sie sah ihn scharf an.

»Hat denn das eine Bedeutung –?«

»Vandervecken war der Kapitän des Fliegenden Holländers. Ich habe nachgesehen. Kennen Sie die Legende?«

»Nein.«

»Es hat einmal Handelsschiffe mit Segeln gegeben – auf dem Ozean, vom Wind getrieben. Vandervecken wollte in einem schweren Sturm das Kap der Guten Hoffnung umfahren. Er schwor blasphemisch, er werde das Kap umrunden, und wenn er bis zu seiner letzten Stunde gegen den Wind ankämpfen müßte. Bei Sturm kann man ihn immer noch sehen, wie er das Kap umsegeln will. Manchmal hält er Schiffe an und gibt ihnen Post für Zuhause mit.«

Ihr Lachen klang unsicher.

»An wen denn?«

»Vielleicht an Ahasver. Es gibt auch Variationen, zum Beispiel, Vandervecken habe seine Frau umgebracht und sei vor der Polizei geflüchtet. Oder es habe an Bord einen Mord gegeben. Das Thema taucht in Romanen häufig auf, es gab einen 2 D-Film und eine noch ältere Oper darüber – alle Legenden haben eines gemeinsam: einen Unsterblichen, der, mit einem Fluch beladen, ewig weiterfährt.«

Alice Jordans Augen wurden groß und rund.

»Was ist denn?«

»Jack Brennan.«

»– Brennan, ich erinnere mich. Der Mann, der an Bord des Pak-Schiffs die Wurzeln gegessen hat. Jack Brennan. Er soll lange tot sein.«

»Angeblich.« Sie blickte auf ihren Schreibtisch. »Roy, ich habe noch zu tun. Wo wohnen Sie, im ›Palace‹?«

»Klar, das ist das einzige Hotel in Waring City.«

»Gut, ich hole Sie ab.«


Nach dem Duschen fand er neben dem Informations-Terminal im Zimmer ein paar Bücher vor, die wohl Alice Jordan geschickt hatte. Er blätterte, bis er Nick Sohls Memoiren fand, und begann dort. Der Abschnitt über das Pak-Schiff kam erst zum Schluß.

Es fröstelte ihn, als er fertig war. Nicholas Sohl, einst Erster Sprecher des Gürtels ... ganz und gar kein Narr. ›Man darf nicht vergessen‹, hatte er geschrieben, ›daß er viel klüger ist als wir. Vielleicht hat er an etwas gedacht, das ich nicht einmal ahne.‹

Aber wie klug mußte man sein, um ohne Nahrung auszukommen?

Er las weiter ...

Alice Jordan trat in sein Zimmer und sagte: »Ah, Sie sind schon dabei. Wie weit gekommen?«

»Nick Sohls Memoiren. Ein Buch über die Pak-Physiologie. Graves' Buch über Evolution habe ich nur überflogen.«

Sie setzte sich auf die Bettkante.

»Ich glaube, daß es Brennan ist.«

»Ich auch.«

»Aber er *muß* doch tot sein. Er hatte nichts zu essen.«

»Er hatte sein eigenes Einstufenschiff am Kabel. Selbst vor zweihundert Jahren wäre er mit der Küche darin lange ausgekommen, nicht? Was ihm fehlte, waren die Wurzeln. Vielleicht hatte er ein paar aus der Frachtkapsel mitgenommen, und im Pak-Schiff waren noch mehr. Aber wenn die gegessen waren, hatte er nichts mehr.«

»Sie glauben trotzdem, daß er noch lebt. Ich auch. Was für Gründe haben Sie?«

Truesdale dachte eine Weile nach.

»Der Fliegende Holländer. Vandervecken. Ein Mann, unsterblich durch einen Fluch. Es paßt zu gut.«

»Was noch?« meinte sie nickend.

»Ach, die Entführung ... und die Tatsache, daß er uns zurückschafft. Trotz des Risikos, erwischt zu werden, schafft er uns zurück. Für ein fremdes Lebewesen ist er zu rücksichtsvoll, für einen Menschen zu mächtig. Was bleibt?«

»Brennan.«

»Dann das Stonehenge-Duplikat.« Das mußte er ihr erst schildern. »Brennan hat genug Zeit gehabt, mit dem Schwerkraft-Polarisator in der Frachtkapsel zu spielen. Er muß das Prinzip begriffen und einen Schwerkraft-Generator daraus gemacht haben.«

»Spielereien, richtig. Diese Superintelligenz muß für ihn wie ein neues Spielzeug gewesen sein.«

»Vielleicht hat er noch mehr von dieser Art gemacht.«

»Ja.« Alice lachte. »Haben Sie schon einmal vom Mahmed-Asteroiden gehört? Zwei Meilen Durchmesser, vorwiegend Eis. Er stürzte auf den Mars und tötete alle Marsbewohner, soviel wir wissen. Der Wasserdampfgehalt der Atmosphäre stieg beträchtlich.«

»Aha«, sagte Truesdale. »Völkermord. Feine Sitten.«

»Ich sage ja, Vandervecken könnte ein paar Nummern zu groß sein für uns.«

»Allerdings. Und wir sind die einzigen, die das wissen.«

Beim Essen erzählte er ihr von Estelle Randall.

»Er hatte also recht«, meinte Alice nur.

Er wußte genau, was sie meinte.

»Ich wäre nicht zur Polizei gegangen. Ich hätte das Geld nicht abgelehnt. Alice, er sieht die ganze Menschheit so. Marionetten. Und er ist der einzige, der die Schnüre sieht. Und er macht Stichproben, um zu sehen, was wir treiben, wie wir vorankommen. Sein nächster Schritt wird ein Zuchtwahlprojekt sein.«

Sie preßte die Lippen zusammen.

»Wir haben drei Möglichkeiten, soviel ich sehen kann. Alles weiterzugeben, was wir wissen, zuerst an Vinnie, dann an alle Fernsehproduzenten, die uns anhören.«

»Werden sie uns anhören?«

»Ach –« Sie winkte ab. »Die bringen das schon. Aber wir haben eben keine Beweise, sondern nur eine Theorie, noch dazu mit einem Riesenloch, und das ist alles, was wir haben.«

»Was er gegessen hat?«

»Genau.«

»Na ja, versuchen können wir es.«

Alice drückte auf eine Taste. Als der Robokellner heranrollte, verlangte sie noch zwei Kognak.

»Und dann?« fragte sie. »Die Leute hören sich das an, reden darüber und machen sich ihre Gedanken. Geschehen wird nichts. Brennan hat ja Zeit.«

»Eben. Wir schreien einfach in ein Vakuum hinein.«

»Die zweite Möglichkeit wäre, einfach aufzugeben.«

»Nein!«

»Einverstanden. Die dritte Möglichkeit ist, ihn zu suchen. Mit einer Polizeiflotte aus dem Gürtel, wenn man uns unterstützt. Andernfalls allein.«

»Und wo suchen wir ihn?« sagte Truesdale. »Der Kometen-gürtel hat das zehn- bis zwanzigfache Volumen des Sonnensystems, und das System liegt noch dazu auf einer Ebene. In den Kometenschweifen gibt es doch in den meisten Verbindungen Wasserstoff, nicht wahr? Brennan hat also keine Schwierigkeiten mit dem Treibstoff. Er kann weiß-Gott-wo sein und morgen wieder an einer ganz anderen Stelle. Wo suchen wir ihn?«

»Wollen Sie aufgeben?« sagte sie scharf.

»Ich hätte fast Lust dazu. Es ist nicht so, daß er mir zu groß wäre. Er ist zu klein. Sein Versteck ist einfach zu groß.«

»Es gibt noch eine andere Möglichkeit«, erklärte sie. »Persephone.«

Persephone. Wie hatte er vergessen können, daß es einen zehnten Planeten gab?

»Persephone ist aber doch ein Gasriese, nicht?«

»Genau weiß ich es nicht. Er ist durch seine Masse, durch den Einfluß auf die Kometenbahnen entdeckt worden. Aber die Atmosphäre könnte gefroren sein. Er könnte darüber schweben, bis er ein Loch in die Eisschichten gebrannt hat, und dann landen. Sie beugte sich über den Tisch. »Roy, von irgendwoher mußte er Metalle beschaffen. Er hat doch eine Art Schwer-kraft-Generator gebaut, nicht wahr? Und vorher muß er experimentiert haben. Metall. Viel Metall.«

»Vielleicht von einem Kometenkopf?«

»Das glaube ich nicht.«

»Auf Persephone kann er sie nicht geschürft haben«, meinte Truesdale kopfschüttelnd. »Ein so großer Planet muß ein Gasriese sein – mit geschmolzenem Kern. Landen könnte er da nicht, weil der Druck, na, so enorm wie beim Jupiter wäre.«

»Dann eben ein Mond. Vielleicht hat Persephone einen Mond.«

»Warum nicht? Warum sollte ein Gasriese nicht ein Dutzend Monde haben?«

»Er blieb zwei Monate im Stillstand, um sich zu vergewissern, daß er da draußen leben konnte. Er muß Persephone gefunden und mit den Teleskopen studiert haben. Als er sich davon überzeugt hatte, daß es Monde gab, machte er sich auf den Weg. Sonst wäre er umgekehrt und hätte sich gestellt. Außerdem muß er auf jeden Fall Spuren hinterlassen haben.«

»Und wir hätten, dann einen Beweis. Schlimmstenfalls könnten wir Hologramme der Landungs- und Startspuren auf dem Mond vorlegen.«

»Und bestenfalls?« Sie grinste. »Bestenfalls treffen wir mit dem Brennan-Ungeheuer zusammen.«

»Dann los!«

»Abgemacht.« Alice hob ihr Glas. Sie stießen an und tranken.


Er wurde wach und setzte sich auf. Er lag im Bett – in Alices Bett. Sie waren in der Nacht hierhergekommen, vielleicht, um zu feiern oder das Bündnis zu besiegeln, oder auch, weil sie einander mochten.

Er ging in die Küche, wo Alice nackt Pfannkuchen machte.

»War uns ernst damit?« fragte er.

Sie gab ihm einen Teller mit Pfannkuchen, und als er ihn falsch anpackte, schwebten sie davon, wie in den Werbefilmen.

»War uns wirklich ernst damit?« fragte er noch einmal.

»Zuerst erkundigen wir uns über Persephone, dann können wir entscheiden.«

Nach dem Frühstück fuhren sie mit dem U-Zug in die Stadt zurück.


›Persephone: Durch mathematische Analyse von Bahnstörungen bei bestimmten, bekannten Kometen 1972 erstmals entdeckt. Erste Sichtung 1984. Persephone ist rückläufig, mit einer Bahnneigung von 61 Grad gegen die Ekliptik. Etwas geringere Masse als Saturn.

Möglicher erster Forschungsbesuch durch Alan Jacob Mion 2094. Mions Behauptung ist wegen der fehlenden photographischen Nachweise in Zweifel gezogen worden – seine Filme wurden durch Strahlung geschädigt, wie Mion selbst, weil er zur Treibstoffersparnis die Schutzarmierung seines Schiffes teilweise entfernte – und auch durch seine Mitteilung, daß Persephone einen Mond besitze.

2170 wurde eine größere Forschungsexpedition entsandt.

Danach besitzt Persephone keine Monde und eine für Gasriesen typische Atmosphäre, reich an Wasserstoffverbindungen. Die Atmosphäre würde Schürfunternehmen lohnen, wenn der Planet so zugänglich wäre wie Jupiter. Keine weiteren Expeditionen.‹

Verdammt, dachte Truesdale. Keine Monde.

Er fragte sich, ob Brennan Persephones kalte chemische Gase ausgebeutet hatte. Womit – mit der hohlen Hand? Und wozu? Auf diese Weise konnte er keine Metalle erbeutet haben – und es spielte auch keine Rolle; in den Wolken hatte er keine Spuren hinterlassen können.

Am späten Nachmittag kam Alice zurück.

»Vinnie macht nicht mit«, sagte sie erschöpft.

»Kann ich ihr nicht übelnehmen. Keine Monde. Unsere großartige Logik, und keine Monde.«

»Sie hätte nicht einmal mitgemacht, wenn es einen Mond gäbe. Sie sagte – na ja, ich weiß nicht, ob sie nicht sogar recht hat.« Sie setzte sich auf das Bett. »Erstens sei das Ganze eine Hypothese – was ja stimmt. Zweitens – wenn es wirklich so wäre, was würden wir dann der armen, hilflosen Polizeiflotte zumuten? Drittens sei die Geschichte schon lange als Ausdruck des Leeren Blicks geklärt.«

»Wie war das?«

»Des Leeren Blicks. Selbsthypnose. Man starrt zu lange in die Unendlichkeit. Manchmal erwacht man in der Umlaufbahn um sein Ziel, ohne sich an etwas erinnern zu können.«

»Aber die Bestechung? Was ist damit?«

»Dafür findet sich auch irgendeine Erklärung – etwa die, daß jemand illegal erworbene Gelder verstecken will. Vinnie hatte aber noch etwas anderes auf Lager. Brennan muß irgendwoher Metall beschafft haben. Wenn er den Mond von Persephone ausgebeutet hat, muß er ihn anschließend fortbewegt haben.«

»Was?«

»Das ist gar nicht so verblüffend, wie es sich anhört. Eine Masse in der Größe von Ganymed oder Vesta.«

»Richtig – und er hatte unbeschränkten Wasserstoff als Antriebsmittel, seinen Generator besaß er auch schon, und wir unterstellen ohnehin, daß er den Mahmed-Asteroiden wegbewegt hat. Aber wohl nicht weit, oder? Jeder Metallklumpen, den wir da draußen finden, kann Persephones Mond sein, nicht?«

»Du willst immer noch auf Jagd gehen.«

Truesdale nickte.

»Ich komme mit.«

»Fein.«

Sie begannen mit den Einzelheiten. Es würde teuer werden.


Brennan . . .

. . . was kann man über Brennan sagen? Er wird stets maximalen Nutzen aus seiner Umwelt ziehen, um seine Ziele zu erreichen. Wenn man seine Umwelt kennt, seine Motive, kann man genau vorhersagen, was er tun wird.

Aber sein Gehirn? Was geht in seinem Gehirn vor?

Seine Laufbahn wird weitgehend durch Warten bestimmt. Vorbereitet ist er schon lange. Jetzt wartet und beobachtet er, und manchmal verfeinert er, was er vorbereitet hat. Er hat seine Steckenpferde. Das Sonnensystem ist eines davon.

Manchmal macht er Stichproben. Ansonsten beobachtet er die sich bewegenden Lichter von Fusionsantrieben mit seinem exzentrischen Teleskopersatz. Er fängt Bruchstücke von Nachrichten- und Unterhaltungssendungen mit raffinierten Rauschfilteranlagen ein.

Die Zivilisation geht weiter. Brennan schaut zu.

Durch eine Nachrichtensendung erfährt er vom Tod Estelle Randalls. Das eröffnet interessante Möglichkeiten. Brennan beginnt auf eine Fusions-Lichtquelle zu achten, die sich Persephone nähert.


Roy wußte nicht, was ihn geweckt hatte. Er hob den Kopf und schaute zu Alices Netzmatte hinüber. Ihre Augen waren offen.

»Was ist?«

»Weiß nicht. Anzug anziehen.«

Er tat es und schloß den dicken Luft-Wasser-Schlauch an das Lebenssystem des Schiffes an.

Sie war im Pilotensessel, als er durch die Luke stieg.

»Was ist denn?« fragte er.

»Spürst du es nicht?«

»Was soll ich spüren?«

»Vielleicht liegt es an mir. Ich komme mir – leicht vor.«

Jetzt merkte er es auch.

»Aber wir zeigen doch 1 G an.«

»Eben.«

»Prüf den Kurs.«

Sie warf ihm einen seltsamen Blick zu und machte sich an die Arbeit.

Er spürte es, als die Veränderung kam: ein wenig mehr Gewicht auf den Schultern, ein schwaches Knarren in der Rumpfwand. Er sah die Angst in ihren Augen und sagte nichts.

Einige Zeit später sagte sie: »Wir sind nicht mehr unterwegs zur Persephone.«

»Ah.« Er fühlte eine kalte Faust um sein Herz.

»Woher hast du es gewußt?«

»Eine Ahnung. Aber naheliegend. Brennan kann Schwerkraft erzeugen, das haben wir angenommen. In einem starken Gravitationsfeld könnte es eine Gezeitenwirkung geben.«

»Oh. Genau so ist es. Der Autopilot hat das natürlich nicht registriert. Das heißt, ich muß unseren neuen Kurs durch Triangulation bestimmen. An der Persephone führt er uns bestimmt vorbei.«

»Was können wir dagegen tun?«

»Nichts.«

Er glaubte ihr nicht. Sie hatten alles so genau geplant.

»Nichts?«

»Wir haben eine Geschwindigkeit von etwa zweiundzwanzigtausend Meilen in der Sekunde. Nach dem jetzigen Stand haben wir fast genug Treibstoff, um ganz zum Stillstand zu kommen.«

»Im Kometengürtel?«

»Im Nirgendwo, richtig.«

»Wir könnten lateralen Schub einsetzen, um zur Persephone zu gelangen und in einer Hyperbel um den Planeten zu fliegen. Dann kämen wir wenigstens ins Sonnensystem zurück.«

»Vielleicht haben wir dafür genug Treibstoff. Ich mache eine Kursanalyse. Inzwischen –« Sie spielte mit der Steuerung.

Das Gefühl der Schwerkraft verlor sich langsam.

Die Antriebsvibration hörte auf. In Roys Schädel wurde es still.


Roy Truesdale ist nicht so leicht zu berechnen wie Brennan. Noch schlimmer – er könnte eine Begleiterin an Bord haben, und ihre Launen vermag Brennan erst recht nicht vorauszubestimmen.

Was wird er jetzt tun? Brennan überlegte. Zum Glück spielt es keine Rolle. Nichts, was Truesdale tun kann, entführt ihn außer Reichweite von Brennans seltsamem Teleskop – dem Instrument, mit dem er Truesdales Kurs geändert hat. Brennan wendet sich anderen Dingen zu. In einigen Tagen . . .


»Wenn wir nicht an Brennan denken müßten, wüßte ich schon, was wir tun könnten«, sagte Alice. »Wir würden verzögern und einen Hilferuf senden. In ein paar Monaten würde man eine Expedition schicken und uns holen.«

Sie lagen in Roys Matte, wie häufig in den letzten Tagen. Sie schliefen mehr. Sie liebten sich öfter, aus Liebe oder zum Trost, oder um die Streitigkeiten zu beenden, oder weil es nichts Konstruktives zu tun gab.

»Warum sollte uns jemand holen?« meinte Roy. »Wenn wir so dumm waren –«

»Geld. Rettungshonorare. Es würde uns natürlich alles kosten, was wir haben.«

»Oh.«

»Auch das Schiff. Was ist dir lieber, Roy? Tot sein oder bankrott?«

»Bankrott«, sagte er sofort. »Aber ich möchte lieber nicht wählen müssen. Muß ich auch nicht. Du bist Kapitän, das war vereinbart. Was sollen wir tun, Kapitän?«

»Ich weiß es nicht. Was möchtest du tun, treue Besatzung?«

»Auf Brennan zählen. Aber ungern.«

»Glaubst du, er schafft dich zweimal zurück?«

»Ich nehme es beinahe an. Vielleicht betrachtet er uns wirklich als Tiere. Vielleicht hat er uns nur – aus der Bahn geworfen, weil wir ihn stören wollten.«

»Vielleicht.«

»Ich sehe vor uns immer noch nichts.«

»Auf jeden Fall fliegen wir schneller, als wir das je vermutet haben.« Sie lachte und beschrieb mit dem Fingernagel Kreise auf seinem nackten Rücken.

Vor ihnen war etwas, unsichtbar für Teleskop und Radar, aber vom Massedetektor eben wahrzunehmen. Es mochte ein verirrter Komet sein, ein Fehler im Massedetektor, oder – etwas anderes.

Seit sechs Tagen stürzten sie. Jetzt waren sie $7 \times 10^9$ Meilen von der Sonne entfernt – so weit wie Persephone. Jetzt zeigte der Massedetektor ein winziges, deutliches Bild. Es war kleiner als jeder Mond, den ein Gasriese besitzen mochte. Aber die Materie war hier draußen so dünn gesät – beinahe so dünn wie interstellarer Raum – daß sie nach dem Gesetz der Wahrscheinlichkeit ins Nichts hätten stürzen müssen.

Sie dachten an Brennan. Und das Teleskop zeigte nichts.

Er wußte nicht genau, was ihn geweckt hatte. Er lauschte der Stille und schaute sich im Halbdunkel um . . .

Alice hing in den Gurten um ihre Matte, zum Bug ausgerichtet. Wie er.

Er hatte seine Lektion gelernt und griff nach dem Druckanzug. Der Zug betrug ein paar Pfund, nicht mehr. Alice schwebte vor ihm die Leiter hinunter.

Der Massedetektor spielte verrückt. Jenseits des Bullauges zeigte sich eine Wildnis von Fixsternen.

»Ich kann hier draußen keine Kursschätzung vornehmen«, sagte Alice. »Es gibt keine Bezugspunkte. Ich weiß einfach nicht, wo wir sind.« Sie hieb mit der Faust auf das Bullaugenglas. »Was will er mit uns machen?«

»Langsam, langsam. Wir sind schließlich zu ihm gekommen.«

»Ich kann eine Rotverschiebung mit der Sonne machen. Dann kennen wir wenigstens die Radialgeschwindigkeit. Bei Persephone geht es nicht. Ich —« Sie wandte sich ab und begann zu weinen.

Als er die Arme um sie legte, schluchzte sie: »Mir behagt das einfach nicht. Ich hasse es, von jemandem abhängig zu sein —«

Sie trug mehr Verantwortung, war stärker belastet. Und er wußte, daß sie von niemandem abhängig sein wollte oder konnte. In seiner großen Familie hatte Roy immer jemand gehabt, zu dem er mit seinen Sorgen hatte laufen können.

Die Liebe ist etwas Wechselseitiges, dachte er. Was er und Alice hatten, würde nie ganz die echte Liebe sein. Schade.

. . . lächerliche Gedanken, während sie darauf warteten, was Brennan mit ihnen machen würde.

Alice, immer noch in seinen Armen, spürte, wie er erstarrte. Sie drehte den Kopf, löste sich von ihm und ging zur Teleskopsteuerung.

Es sah aus wie ein ferner Asteroid.

Es war nicht dort, wo der Massedetektor es angezeigt hatte, sondern dahinter. Als Alice das Bild auf den Schirm legte, traute Roy seinen Augen nicht. Es war wie eine sonnenbeschienene Landschaft im Märchen, ganz Gras und Bäume und Blumen, und ein paar kleine Gebäude in weichen, organischen Umrissen; aber es war, als habe ein spielerisch veranlagter Topologe die Landschaft genommen und geformt.

Es war zu klein, viel zu klein, um die Atmosphäreschicht halten zu können, die er ringsherum sah, oder den auf einer Seite schimmernden blauen Teich. Ein Plastilin-Ringwulst mit Vertiefungen und Erhebungen auf der Oberfläche, und im Loch schwebend eine kleine grasgrüne Kugel, aus der ein einzelner Baum herauswuchs. Er konnte die Kugel ganz deutlich sehen. Sie mußte riesengroß sein.

Und die ihnen zugewandte Seite des Dings war von der Sonne beschienen. Wo kam das Sonnenlicht her?

»Wir nähern uns«, sagte Alice gepreßt. Ihre Tränen waren jedoch versiegt.

»Was tun wir jetzt? Selbst landen oder warten, bis er uns landet.«

»Ich wärme lieber den Antrieb an«, meinte sie. »Sein Schwerkraft-Generator verursacht vielleicht Stürme in der künstlichen Atmosphäre.«

»Waffen?« sagte er.

Ihre Hände blieben auf der Steuerung liegen.

»Er würde doch nicht – ich weiß nicht.«

Er dachte darüber nach. So verlor er seine Chance.

Als er wach wurde, glaubte er sich auf der Erde. Heller Sonnenschein, blauer Himmel, Gras, das ihn an Rücken und Beinen kitzelte, Berührung, Geräusch und Geruch einer kühlen, duftenden Brise . . . war er in einem Nationalpark ausgesetzt worden? Er drehte sich auf die Seite und sah Brennan.

Brennan saß im Gras, die Arme um die Knorrenknie gelegt und beobachtete ihn. Brennan war nackt bis auf eine lange Weste, die nur aus Taschen bestand: großen Taschen, kleinen Taschen, Schlaufen für Werkzeuge, Taschen auf Taschen und in Taschen; und die meisten Taschen waren voll.

Wo die Weste ihn nicht bedeckte, war Brennans Haut eine Vielzahl schlaffer, brauner Falten, gleich weichem Leder. Er sah aus wie eine Pak-Mumie im Museum, aber er war größer und sogar noch häßlicher. Die Wülste von Kinn und Stirn störten die glatten Linien des Pak-Schädels. Seine Augen waren braun und nachdenklich und menschlich.

»Hallo, Roy«, sagte er.

Roy setzte sich ruckartig auf. Da war Alice, auf dem Rücken liegend, die Augen geschlossen. Da war das Schiff, mit der Unterseite auf . . . auf . . .

Schwindelgefühl.

»Keine Sorge«, sagte Brennan. Seine Stimme klang trocken und ein wenig fremd. »Ich wollte nicht, daß ihr mit flammenden Waffen aus dem Schiff stürmt. Das Ekosystem hier ist schwer zu erhalten.«

Roy hob wieder den Kopf. Den Hang hinauf glitt sein Blick dorthin, wo eine unfaßbare Masse schwebte, bereit, auf sie hinabzustürzen. Eine grasbewachsene Kugel mit einem einzelnen, gigantischen Baum. Das Schiff lag daneben. Auch das Schiff hätte herabstürzen müssen.

Alice Jordan setzte sich auf. Roy fragte sich, ob sie in Panik geraten würde ... aber sie betrachtete das Brennan-Ungeheuer eine Weile und sagte dann: »Wir hatten also recht.«

»So ziemlich«, sagte Brennan. »Aber auf Persephone hättet ihr nichts gefunden.«

»Und jetzt sind wir gefangen«, sagte sie bitter.

»Nein. Ihr seid Gäste.«

Ihr Ausdruck veränderte sich nicht.

»Ihr glaubt, ich gebrauche beschönigende Ausdrücke. Nein. Wenn ich hier weggehe, schenke ich euch das hier. Meine Arbeit ist fast abgeschlossen. Ich muß euch beibringen, euch nicht das Leben zu nehmen, indem ihr die falschen Knöpfe bedient, und ich gebe euch einen Titel für Kobold. Dafür bleibt uns Zeit.«

Schenken? Roy dachte daran, hier ausgesetzt zu sein, unerreichbar weit von zuhause. Als Gefängnis angenehm genug. Dachte Brennan an einen neuen Garten Eden?

»Ich habe natürlich mein eigenes Schiff«, fuhr Brennan fort. »Ich lasse euch das eure. Ihr habt wenigstens Treibstoff gespart. Sie müßten reich werden damit, Roy. Sie auch, Miss.«

»Alice Jordan«, sagte sie.

»Nennt mich Jack oder Brennan oder auch Brennan-Ungeheuer. Ich bin nicht sicher, ob mir mein Geburtsname noch zusteht.«

»Warum?« sagte Roy.

»Weil meine Arbeit hier vorbei ist«, sagte Brennan, der genau verstand, was Roy gemeint hatte. »Was, glaubt ihr, habe ich hier zweihundertzwanzig Jahre lang gemacht?«

»Selbsterzeugte Schwerkraft als Kunstform angewendet«, meinte Alice.

»Auch das. Vor allem habe ich auf energiereiche Lithium-Radikale im Schützen geachtet.« Er sah sie durch die Maske seines Gesichts an. »Ich gebe mich nicht rätselhaft. Ich versuche es so zu erklären, daß ihr nicht nervös werdet. Ich hatte hier einen Zweck zu erfüllen. In den letzten Wochen habe ich gefunden, was ich suchte. Jetzt gehe ich. Ich hätte nie gedacht, daß sie so lange brauchen.«

»Wer?«

»Die Pak. Habt ihr euch schon einmal gefragt, was die kinderlosen Protektoren von Pak tun würden, nachdem Phssthpok fort war?«

Es war klar, daß sie sich diese Frage nicht gestellt hatten.

»Aber ich. Phssthpok hat auf Pak eine Raumfahrtindustrie aufgebaut. Er kam dahinter, wie man auf den Welten der galaktischen Spiralarme den Baum des Lebens züchtet. Er baute ein Schiff, und es funktionierte, soweit die Pak das erkennen konnten. Was nun?

Alle die kinderlosen Protektoren suchten eine Lebensaufgabe. Phssthpok konnte ja etwas zustoßen. Ein Unfall. Oder er mochte unterwegs den Lebenswillen verlieren.«

Roy begriff.

»Sie würden ein zweites Schiff ausschicken.«

»Gewiß. Selbst wenn Phssthpok hierhergelangte, konnte er Hilfe bei der Suche in einem Volumen von dreißig Lichtjahren Durchmesser gebrauchen. Der Nachfolger Phssthpoks würde nicht direkt auf die Sonne zielen, weil da Phssthpok schon gesucht hatte, sondern abseits von ihr. Ich rechnete mir aus, daß ich damit ein paar Jahre zusätzlich gewann. Ich dachte, sie würden fast sofort ein zweites Schiff schicken. Ich fürchtete, nicht bereit zu sein.«

»Warum können sie so lange gebraucht haben?«

»Das weiß ich nicht. Eine schwerere Frachtkapsel, vielleicht. Fortpflanzer im Kühlschlaf, für den Fall, daß wir in zweieinhalb Millionen Jahren ausgestorben sind.«

»Sie sagten, Sie hätten beobachtet –« meinte Alice.

»Ja. Eine Sonne verbrennt Wasserstoff nicht ganz so wie ein Bussard-Antrieb. Bei der Verzögerung stößt der Antrieb eine Reihe seltsamer Chemikalien aus: energiereichen Wasserstoff und Helium, Lithium-Radikale, Borat, sogar Lithiumhydrid, das gewöhnlich gar nicht vorkommt. Auf jeden Fall habe ich im Schützen solche seltsamen chemischen Stoffe gefunden. Es kommt jemand.«

»Wieviele Schiffe?« fragte Roy.

»Eines, versteht sich. Ich habe das Bild nicht direkt gefunden, aber das zweite Schiff werden sie wohl sofort nach dem Bau abgeschickt haben. Weshalb warten? Und vielleicht ein weiteres Schiff dahinter, und eines hinter dem. Ich suche sie von hier aus, solange ich mein Teleskop in Anführungsstrichen noch habe.«

»Und dann?«

»Dann vernichte ich so viele Schiffe, wie da sind.«

»Ganz einfach so?«

»Das muß ich mir immer wieder anhören«, sagte Brennan ein wenig bitter. »Paßt auf: Wenn ein Pak wüßte, wie die Menschheit ist, würde er versuchen, uns auszurotten. Was soll ich denn machen? Ihm eine Nachricht schicken und um Waffenstillstand bitten? Allein diese Information würde ihm genug verraten.«

»Sie könnten ihn davon überzeugen, daß Sie Phssthpok sind«, sagte Alice.

»Das könnte ich vermutlich. Was dann? Er würde natürlich aufhören zu essen. Aber zuerst würde er sein Schiff abliefern wollen. Er würde nie glauben, daß wir schon die Technologie zur Herstellung künstlicher Einpoler entwickelt haben, und sein Schiff ist das zweite seiner Art in diesem System, und wir brauchen vielleicht auch das Thalliumoxyd.«

»Hm.«

»Hm«, äffte Brennan sie nach. »Glaubt ihr, mir gefällt der Gedanke, jemanden ermorden zu müssen, der einunddreißigtausend Lichtjahre weit geflogen ist, um uns vor uns selbst zu retten? Ich habe lange genug darüber nachgedacht. Eine andere Antwort gibt es nicht. Aber laßt euch davon nicht aufhalten.« Brennan stand auf. »Überlegt es euch. Ihr könnt auch gleich Kobold erforschen. Er gehört euch einmal. Alle gefährlichen Dinge sind hinter Türen. Amüsiert euch, schwimmt, wo ihr Wasser findet, spielt Golf, wenn ihr wollt. Aber eßt nichts und öffnet keine Türen. Roy, erklären Sie ihr die Blaubart-Legende.« Brennan deutete über einen niedrigen Hügel hinweg. »Da hinüber, durch den Garten, und ihr erreicht mein Labor. Ich bin da, wenn ihr mich braucht. Laßt euch Zeit.« Und er rannte davon.

Sie sahen einander an.

»Hat er das wirklich ernst gemeint?« sagte Alice.

»Ich hoffe es. Selbsterzeugte Schwerkraft. Und dieses Ding

hier. Kobold. Mit Schwerkraftgeneratoren könnten wir es viel-
leicht ins Sonnensystem bringen und als Disneyland aufbauen.«
   »Was hat er mit ›Blaubart‹ gemeint?«
   »Daß wir wirklich keine Türen öffnen sollen.«
   »Oh.«


Sie beschlossen, Brennans Weg über den Hügel zu folgen. Sie
sahen ihn nicht mehr. Kobold besaß den stark gewölbten Horizont jedes kleinen Asteroiden, jedenfalls von der Außenwöl-
bung des Ringes aus.
   Aber sie fanden den Garten. Hier gab es Obstbäume und
Nußbäume und Gemüsebeete in allen Wachstumsphasen. Roy
zog eine Karotte heraus und dachte plötzlich an seine Kindheit.
Er ließ die Karotte fallen, ohne hineinzubeißen. Er und Alice
gingen unter Orangenbäumen, ohne sie zu berühren. Im Mär-
chenland mißachtet man nicht einfach die Gebote des Herr-
schenden . . .
   Ein Eichhörnchen huschte in einen Baum, als sie näherkamen.
Ein Kaninchen starrte sie zwischen Rübenkraut an.
   »Erinnert mich an den Gefängnis-Asteroiden«, sagte Alice.
   »Erinnert mich an Kalifornien«, sagte Roy. »Bis auf die Art,
wie die Schwerkraft sich biegt. Ob ich schon einmal hiergewe-
sen bin?«
   »Erinnerst du dich an etwas?«
   »Nein. Alles fremd. Brennan hat die Entführungen über-
haupt nicht erwähnt, oder?«
   »Nein. Vielleicht glaubt er, das sei nicht nötig. Wir müssen
offenbar alles begriffen haben, weil wir hier sind.«
   Hinter dem Garten konnten sie den höchsten Turm einer mit-
telalterlichen Burg sehen, aus dieser Perspektive beinahe auf der
Seite liegend. Zweifellos Brennans Labor. Sie wandten sich ab.
   Die Landschaft wurde wilder, es wuchs kalifornisches Cha-
parral. Sie sahen einen Fuchs, Eichhörnchen, sogar eine Raub-
katze.
   Auf der Innenwölbung des Ringes standen sie unter der Graskugel und starrten hinauf zu ihrem Schiff. Der große Baum
reckte ihnen seine Äste entgegen.

»Ich könnte sie beinahe erreichen«, sagte Roy. »Ich könnte hinunterklettern.«

»Laß. Schau mal.« Sie deutete um die Wölbung des Toroids herum.

Wo sie hindeutete, war ein dahinströmender Fluß und ein Wasserfall, der aus der Mitte *hinauf*stürzte, vom Hauptteil Kobolds zur Graskugel.

»Ja. Wir könnten das Schiff erreichen, wenn wir den Sturz riskieren.«

»Brennan muß ja auch von hier nach dort kommen.«

»Er hat ja gesagt, schwimmt, wo ihr Wasser findet.«

»Aber ich kann nicht schwimmen. Du müßtest es machen«, sagte Alice.

»Okay. Komm.«

Das Wasser war im ersten Augenblick eiskalt. Sonnenlicht glitzerte blendend hell auf dem Wasser . . . und wieder machte Roy sich seine Gedanken. Die Sonne stand heiß und hell über ihnen. Aber einen Atomgenerator von dieser Größe hätten sie sehen können.

»Was willst du aus dem Schiff?« fragte er.

»Kleidung.« Sie war nackt unter dem durchsichtigen Druckanzug. »Ich möchte mich am liebsten dauernd mit den Händen zudecken.«

»Vor Brennan?«

»Ich weiß, Brennan ist geschlechtslos. Trotzdem.«

»Waffen?« fragte er.

»Sinnlos. Aber du könntest versuchen, die Solarsturmwarnung auf den Schützen zu richten.«

Roy schwamm zum Wasserfall. Er hörte kein Rauschen. Es konnte nicht so gefährlich sein, wie es . . . eigentlich sein mußte.

Er ließ sich vom Wasser mitziehen. Einen Augenblick lang verlor er die Orientierung, dann . . .

. . . war er in einem gleichmäßig fließenden Strom. Alice schaute ihm besorgt zu. Sie ragte von der Wand einer Klippe horizontal hinaus.

Strömungen rings um ihn beschäftigten ihn. Er tauchte unter, in turbulentes Wasser, und kam auf der anderen Seite des Flusses heraus, schwamm zurück. Er tauchte wieder und ließ sich von der Strömung dorthin tragen, wo sie sich in einem nierenförmigen Teich auf die grüne Kugel entleerte. Das Schiff war nur ein paar Meter entfernt.

Er stemmte sich lachend und prustend aus dem Wasser. Ein Fluß, der in zwei Richtungen durch die Luft strömte!

Das Solarsturmwarngerät zeigte keine Störungen im Schützen an. Das bewies nichts. Er verstaute Kleidung für sie beide in einem Druckanzug und nahm ein paar Mahlzeitpackungen mit, weil er Hunger hatte. Die Waffen hatte er nicht einmal angesehen.


Ein Möbius-Streifen, fast zwei Meter breit, zwölf Meter lang, aus silbrigem Metall, hing beinahe horizontal in der Luft, während der Rand zum Teil im Staub verborgen war. Sie betrachteten ihn eine Weile, dann . . . versuchte Alice es.

Die Schwerkraft verlief vertikal zur Oberfläche. Sie ging um die Außenseite herum, bewältigte die Verbiegung mit dem Kopf nach unten und kam auf der Innenseite wieder zurück. Sie sprang herunter und reckte die Arme applausheischend.

Es gab einen Miniatur-Golfplatz. Es sah lächerlich einfach aus, und Roy griff nach einem Schläger und versuchte es. Er erlitt mehrere Schocks. Der Ball beschrieb seltsame Kurven in der Luft, sprang manchmal höher, als er gefallen war, und kam einmal so schnell auf seinen Kopf zugeflogen, wie er ihn geschlagen hatte. Er blieb lange genug dabei, um zu erkennen, daß die Schwerkraftfelder sich ständig veränderten, dann gab er auf.

Sie fanden einen Lilienteich mit Wasserskulpturen, sanften Formen, die aus der Oberfläche heraufkamen und -flossen. Vor allem ein großer, geformter Schädel in der Mitte des Teiches stach hervor. Er veränderte die Form, vom harten Gesicht und schwellenden Schädel des Brennan-Ungeheuers zu –

»Ich glaube, das muß auch Brennan sein«, sagte Alice.

– zu einem kantigen Gesicht mit tiefliegenden Augen und glatten Haaren im Gürtelbewohner-Schnitt, und einem brütenden Ausdruck, so als erinnere der Mann sich an uralte Dinge, die man ihm angetan hatte. Die Lippen lächelten plötzlich, und das Gesicht zerfloß ...

Kobold hatte sich gedreht. Es dämmerte in dieser Gegend, als sie zur Burg zurückkamen.

Das Gemäuer erhob sich aus einem Hügel, ein Bau von groben, schwarzen Steinblöcken mit vertikalen Fensterschlitzen und einer großen Holztür für Riesen.

»Frankensteins Schloß«, sagte Roy. »Brennan hat immer noch Humor. Daran sollten wir vielleicht denken.«

Sie brauchten zwei Hände, um den großen Türknopf zu drehen, und vier, um die Tür aufzustoßen.

Schwindel.

Sie standen am Rand eines riesigen, offenen Raumes, durchzogen von einem Labyrinth von Treppen und Korridoren und wieder Treppen. Durch offene Türen konnten sie Gärten sehen. Es gab gesichtslose Puppen, Dutzende, die hinauf- und hinunterstiegen, in den Gängen standen und in die Gärten traten ...

... aber in allen möglichen Winkeln stehend. Zwei Drittel der Gänge waren vertikal. Ebenso die Gärten. Puppen standen sorglos auf vertikalen Gängen; zwei Puppen stiegen in derselben Richtung eine Treppe hinauf, die eine hinauf, die andere hinunter ...

»Hallo!« dröhnte Brennans Stimme von irgendwo herab. »Kommt rauf. Erkennt ihr das?«

Sie schwiegen beide.

»Das ist Eschers ›Relativität‹. Das einzig Nachgemachte auf ganz Kobold. Ich wollte eigentlich ›Die Madonna von Port Lligat‹ machen, aber der Platz reichte nicht.«

»Mensch«, flüsterte Roy. Dann rief er: »Haben Sie daran gedacht, in Port Lligat die Madonna von Port Lligat zu machen?«

»Sicher!« tönte es zurück. »Aber das hätte viele Leute zu sehr erschreckt. Ich hätte nicht einmal das Stonehenge-Duplikat machen sollen.«

»Wir haben nicht nur Vandervecken gefunden«, wisperte Alice, »sondern Finagle persönlich!« Roy lachte.

»Komm rauf, dann brauchen wir nicht zu brüllen«, rief

Brennan. »Keine Angst wegen der Schwerkraft. Die paßt sich an.«

Sie waren erschöpft, als sie die Turmspitze erreichten. ›Eschers Relativität‹ endete in einer Wendeltreppe, die endlos zu sein schien, vorbei an Fensterschlitzen für Bogenschützen.

Der Raum ganz oben war dunkel und zum Himmel offen. Aber der Himmel war nicht jener der Erde. Hier gleißten Sonnen, höllenhaft grell, entsetzlich nah.

Brennan drehte sich von seinen Instrumenten weg – eine Wand von Steuerorganen, zwei Meter hoch, vier Meter breit, voller Lampen und Hebel und Skalen.

Roy verbeugte sich tief und sagte: »Merlin, der König will Euch sprechen.«

Brennan knurrte: »Sagt dem alten Mann, ich kann ihm kein Gold mehr machen, bis von Northumberland Blei gebracht wird! Wie gefällt euch inzwischen mein Teleskop?«

»Der ganze *Himmel*?« sagte Alice.

»Legen Sie sich hin, Alice, sonst verrenken Sie sich den Hals. Das ist eine Schwerkraftlinse.« Er sah ihre Verwirrung. »Ihr wißt doch, daß ein Schwerkraftfeld das Licht beugt? Gut. Ich kann ein Feld erzeugen, das Licht zu einem Brennpunkt beugt. Es ist linsenförmig, wie ein rotes Blutplättchen. So erhalte ich mein Sonnenlicht. Die Sonne, gesehen durch eine Schwerkraftlinse, mit Streueinrichtung, damit ich blauen Himmel bekomme. Eine angenehme Nebenwirkung ist, daß die Linse das Licht in der anderen Richtung streut, so daß man Kobold erst sehen kann, wenn man schon aufsitzt.«

Roy starrte zu den flammenden Sonnen hinauf.

»Eine tolle Sache.«

»Das ist der Schütze, die Richtung der galaktischen Nabe. Ich habe das verdammte Schiff immer noch nicht gefunden, aber die Lichter sind hübsch, nicht wahr?« Brennan berührte einen Knopf, und der Himmel glitt an ihnen vorbei, so als befänden sie sich in einem überlichtschnellen Raumfahrzeug, das durch einen Kugelsternhaufen schwebte.

»Was geschieht, wenn Sie es finden?« fragte Roy.

»Das habe ich euch schon gesagt. Ich habe das schon hundertmal in meinem Kopf durchgemacht. Es ist, als hätte ich alles schon durchlebt. Mein Schiff ist ein Duplikat des Schiffes von Phssthpok, mit einigen Verbesserungen. Ich kann mit dem Staustrahl allein auf 3 G kommen und habe in der Frachtkapsel Waffen, die in zweihundert Jahren entwickelt wurden.«

»Ich glaube noch immer –«

»Das weiß ich. Es liegt zum Teil an mir, daß ihr so lange keinen Krieg mehr gehabt habt. Ihr seid verweichlicht, und das macht euch liebenswerter, wirklich. Aber das ist eine Kriegslage.«

»Wirklich?«

»Was wißt ihr über die Pak?«

Roy antwortete nicht.

»Ein Pak-Schiff ist unterwegs. Wenn der betreffende Pak je die Wahrheit über uns erfährt, wird er versuchen, uns alle auszurotten. Es gelingt ihm vielleicht. Ich sage euch das, verdammt nochmal! Ich bin der einzige, der je einem Pak begegnet ist. Ich bin der einzige Mensch, der je einen Pak verstehen konnte.«

»Wo ist er denn dann, allwissender Brennan?« brauste Roy auf.

»Das weiß ich noch nicht.«

»Wo müßte er sein?«

»Unterwegs zu Alpha Centauri. Der Signalstärke nach –« Brennan berührte eine Taste, und der Himmel fegte an ihnen vorbei, daß Roy schwindlig wurde. Die Sterne kamen plötzlich zum Stillstand. »Da. In der Mitte.«

»Kommen da Ihre seltsamen chemischen Stoffe her?«

»Mehr oder weniger. Es ist nicht gerade eine Punktquelle.«

»Warum Alpha Centauri?«

»Weil Phssthpok fast genau die entgegengesetzte Richtung gewählt hätte. Die meisten nahen gelben Zwergsterne befinden sich alle auf einer Seite der Sonne. Die Centaurus-Sonnen sind eine Ausnahme.«

»Der zweite Pak würde sich also im Centaurus-System umsehen, und wenn er Wunderland nicht findet, würde er sich weiter von der Sonne entfernen.«

»Davon bin ich ausgegangen. Die Richtung seiner Antriebsflamme zeigt aber, daß er direkt hierherkommt. Ich muß also annehmen, daß er beobachtet, ob Phssthpok hier wegfliegt. Ich habe Phssthpoks Schiff Richtung Wunderland geschickt. Ich muß davon ausgehen, daß er sich nicht hat täuschenlassen. Wenn Phssthpok hier nicht fortgeflogen ist, hat er vielleicht gefunden, was er suchte. Also kommt Pak Nummer Zwei auch hierher.«

»Und wo könnte er jetzt sein?«

Der Himmel raste wieder vorbei, kam zum Halten.

»Da.«

»Ich sehe ihn nicht.«

»Ich auch nicht.«

»Sie haben ihn also nicht gefunden. Behaupten Sie immer noch, daß Sie die Pak verstehen?«

»Gewiß. Wenn Sie etwas Unerwartetes tun, dann wegen einer Veränderung ihrer Umwelt.«

»Könnten es viele Schiffe sein?« fragte Alice unvermittelt.

»Nein. Weshalb sollten die Pak uns eine ganze Flotte schikken?«

»Das weiß ich nicht. Aber nach der Dichte Ihrer seltsamen chemischen Stoffe wären sie weiter entfernt, als Sie glauben. Schwerer zu finden. Die Antriebsflamme wäre undeutlicher. Und wenn sie weiter entfernt wären, flögen sie schneller, nicht wahr? Man nähme mehr schnelle Partikel wahr.«

»Nicht, wenn sie mehr Fracht befördern«, sagte Brennan. Der Himmel fegte vorbei. »Aber das ist so unwahrscheinlich! Es gibt nur eine Vermutung, die passen würde. Bitte noch Geduld; man muß lange hin- und hertun, um die Felder genau zu erwischen.« Das Sternfeld wurde klar, verwischte sich wieder, dann sah man scharf umrissene, weiße Punkte. Riesensonnen sah man nun nicht mehr, dafür aber ein paar hundert blaue Punkte, alle gleich groß, winzig, weit auseinanderstehend, in, wie Roy erst mit der Zeit wahrnahm, sechseckiger Anordnung.

»Ich wollte es einfach nicht glauben«, sagte Brennan. »Der Zufall war zu groß.«

»Ja. Eine ganze Flotte!« Roy war entsetzt und spürte die ersten Regungen einer Panik. Eine Pak-Flotte, hierher unterwegs

– und Brennan, der Protektor der Menschen, hatte es nicht vorausgesehen. Er hatte Brennan vertraut.

»Es müssen noch mehr sein«, sagte Brennan. »Weiter dem galaktischen Kern zu. Zu weit entfernt für meine Instrumente. Eine zweite Welle. Vielleicht noch eine dritte.«

»Die hier genügen noch nicht?«

»Die genügen nicht«, sagte Brennan. »Begreift ihr nicht? Im galaktischen Kern ist etwas geschehen. Das ist das Einzige, was so viele Schiffe so weit führen kann. Sie müssen die Pak-Welt evakuiert haben.«

»Was kann passiert sein?« fragte Alice.

»Alles Mögliche. Schwarze Löcher, die durch die Kernsonnen gewandert sind, immer mehr Masse aufgenommen haben, vielleicht zu nah an Pak geraten sind. Oder irgendeine Art raumgeborenen Lebens. Oder der galaktische Kern explodiert in einer Serie von Supernovas. Das ist in anderen Galaxien schon vorgekommen. Mich macht nur wahnsinnig, daß das jetzt passieren mußte!«

»Finden Sie keine andere Erklärung?«

»Keine, die passen würde. Und der Zufall ist gar nicht einmal so groß. Phssthpok hat das beste astronomische System seit Jahrtausenden entwickelt, um seinen Kurs so weit wie möglich vorauszuberechnen. Nachdem er fort war, müssen sie sich umgesehen und – etwas gefunden haben. Supernovas in einem Haufen älterer Sonnen. Verschwindende Sterne. Stellen, wo das Licht gebeugt wurde. Trotzdem ein Finagle-Zufall. Ich habe es einfach nicht geglaubt.«

»Vielleicht wollten Sie es nicht glauben«, sagte Alice.

»Allerdings!«

»Warum hier? Warum kommen sie zu uns?«

»Zu der einzigen bekannten bewohnbaren Welt außerhalb des galaktischen Kerns? Außerdem haben wir Zeit gehabt, noch ein paar mehr für sie zu finden.«

Brennan sah die beiden an.

»Hunger? Ich ja.«

*

Während Brennan in der Miniaturküche das Essen zubereitete, starrte Roy Truesdale durch die große Burgtür hinaus auf eine seitlich gekippte Landschaft.

»Das Essen kommt alles von außerhalb, nicht?« sagte Alice. »Warum haben wir nichts anrühren dürfen?«

»Na ja, es besteht immer die Möglichkeit, daß der Virus vom Baum des Lebens irgendwo hineingeraten ist. Beim Kochen wird er abgetötet, und er dürfte kaum irgendwo gedeihen, wenn ich nicht Thalliumoxyd in den Boden streue.« Brennan sah von seiner Arbeit nicht auf. »Ich stand vor einem Finagle-Rätsel, als ich mich von der Erde löste. Es gab Nahrung, aber was ich brauchte, war der Virus in den Wurzeln. Ich versuchte, ihn in anderen Dingen zu züchten: Äpfel, Granatäpfel –« Er hob den Kopf, um zu sehen, ob sie den Hinweis verstanden hatten. »Ich erhielt einen Abweicher, der in der Süßkartoffel gedieh. Da wußte ich, daß ich hier draußen überleben konnte.« Brennan hatte Kaninchenfleisch und Gemüse angerichtet wie für ein Stilleben. Er schob den Topf in den Herd. »Meine Küche besaß alle möglichen Tiefkühlprodukte. Zum Glück hatte ich immer gern gut gegessen. Später bekam ich Saatgut von der Erde. In Gefahr war ich nie; ich konnte immer noch nachhause. Aber ich schätzte nicht, was aus der Zivilisation geworden wäre, wenn ich es getan hätte.«

»Sind Sie nicht einsam gewesen?« fragte Alice.

»Doch.« Brennan zog einen Tisch aus dem Boden. »Ich wäre überall einsam gewesen, das wissen Sie.«

»Nein. Sie wären willkommen gewesen.«

Brennan schien vom Thema abzuweichen.

»Roy, Sie sind schon einmal hiergewesen. Haben Sie das erraten?«

Roy nickte.

»Wie habe ich diesen Teil Ihrer Erinnerung ausgelöscht?«

»Das weiß ich nicht. Niemand weiß es«, sagte Roy gepreßt.

»Ganz einfach. Ich habe eine Aufzeichnung von Ihrem Gehirn gemacht. Bevor ich Sie in den Pinnacles zurückließ, habe ich alles in Ihrem Gehirn gelöscht und die Aufzeichnung eingespielt. Es ist natürlich komplizierter – es geht um Gedächtnis-

RNS und überaus komplexe elektrische Felder – aber ich brauche die Erinnerungen nicht herauszusuchen, die ich entfernen möchte.«

»Das ist gräßlich, Brennan«, sagte Roy schwach.

»Warum? Weil Sie eine Weile ein gehirnloses Tier gewesen sind? Ich hätte Sie nie in diesem Zustand gelassen. Ich habe das schon zwanzigmal gemacht und noch keine Probleme gehabt.«

Roy schauderte.

»Sie verstehen mich nicht. Es hat ein Ich von mir gegeben, das vier Monate bei Ihnen verbracht hat. Es ist fort. Sie haben es umgebracht.«

»Langsam begreifen Sie.«

Roy sah ihm in die Augen.

»Sie hatten recht. Sie sind anders. Sie wären überall einsam.«

Brennan deckte den Tisch, servierte, nahm die Hälfte des Essens für sich und aß mit der Leistungsfähigkeit eines Wolfes.

»Notfälle machen mich hungrig«, sagte er, als er fertig war. »Und jetzt möchte ich mich entschuldigen. Es ist nicht höflich, aber ich habe einen Krieg zu führen.« Und er hetzte davon.

In den folgenden Tagen kamen Roy und Alice sich wie unerwünschte Gäste eines perfekten Gastgebers vor. Sie sahen Brennan kaum, außer wenn er vorbeihetzte oder sie ihn in seinem Labor aufsuchten.

Er sprach zwar mit ihnen, unterbrach seine Arbeit aber nicht. Im Feld seines ›Teleskops‹ sah man nur ein einziges Schiff, vor einem Hintergrund roter Zwergsterne und interstellarer Staubwolken: eine blaue Fusionsflamme, gelbes Helium-Licht mit Blauverschiebung.

»Die Phssthpok-Anlage«, sagte er befriedigt. »Sie haben darauf verzichtet, etwas zu ändern. Seht ihr den schwarzen Punkt in der Mitte der Flamme? Bei Verzögerung kommt zuerst die Frachtkapsel. Und sie ist größer als bei Phssthpok, während die Schiffe langsamer fliegen als das seine bei dieser Entfernung. So nah sind sie der Lichtgeschwindigkeit nicht. Sie werden nicht vor hundertzwei- oder hundertdreiundsiebzig Jahren hier sein.«

»Gut für mich. Sollte es jedenfalls sein. Zuerst die Frachtkapsel und die Fortpflanzer im Kühlschlaf. Verwundbar, nicht?«

»Nicht bei einer Übermacht von zweihundertdreißig zu eins.«

»Ich bin nicht verrückt, Roy. Ich greife sie nicht selbst an. Ich hole Hilfe.«

»Wo?«

»Wunderland. Das ist am nächsten.«

»Was? Nein, die Erde.«

Brennan schaute sich um.

»Sind Sie toll? Ich warne die Erde nicht einmal. Die Erde und der Gürtel sind achtzig Prozent der Menschheit, einschließlich meiner sämtlichen Nachkommen. Das Beste für sie ist, wenn sie von dem Kampf nichts wissen. Führt ihn eine andere Welt und verliert, übersehen die Pak die Erde vielleicht noch eine ganze Weile.«

»Sie gebrauchen die Wunderland-Bewohner als Köder. Sagen Sie ihnen das?«

»Machen Sie sich nicht lächerlich.«

Einmal führte er sie, als er ihnen bei einem Ausflug begegnete, in eine runde Hütte, durch eine Luftschleuse und zeigte ihnen etwas hinter der inneren Glaswand.

In einer riesigen Felshöhle schwebte eine silbrige Kugel, zweieinhalb Meter Durchmesser, spiegelnd, glatt.

»Man braucht ein verdammt exaktes Schwerkraftfeld, um sie da festzuhalten«, sagte Brennan. »Zum größten Teil Neutronium.«

Roy pfiff durch die Zähne.

»Müßte sie da nicht instabil sein?« fragte Alice. »Sie ist zu klein.«

»Sicher, wenn sie nicht in einem Stasis-Feld wäre. Ich habe sie unter Druck erzeugt und dann das Stasis-Feld herumgelegt, bevor sie mir explodieren konnte. Jetzt besitzt sie noch mehr Materie. Könnt ihr euch eine Oberflächengravitation von acht Millionen G vorstellen?«

Neutronium war so dicht, wie Materie nur sein konnte: Neutronen, aneinandergepackt, bei einem Druck, der höher war als in den Kernen der meisten Sonnen. Nur eine Hypermasse konnte dichter sein, und eine Hypermasse war nicht mehr nur Masse, sondern eine Gravitations-Punktquelle.

»Ich wollte sie zur Ablenkung hierlassen, falls ein Pak-Schiff an mir vorbeiwischte. Jetzt sind es zu viele. Ich darf ihnen Kobold nicht lassen. Das würde alles verraten.«

»Sie wollen Kobold zerstören?«

»Ich muß.«

Er war immer höflich. Er behandelte sie nie von oben herab.

»Er behandelt uns wie kleine Kätzchen«, sagte Alice. »Er ist beschäftigt, aber er sorgt dafür, daß wir zu essen haben, und ab und zu krault er uns an den Ohren.«

»Nicht seine Schuld. Wir können nicht helfen. Wenn es nur etwas gäbe —«

»Ja.« Sie lag im warmen Sonnenlicht im Gras, das eine merkwürdige Farbe angenommen hatte. Brennan hatte das Streuelement aus der Schwerkraftlinse genommen. Der Himmel war nun schwarz, die Sonne wirkte größer und trüber. Brennan hatte die Rotation von Kobold gestoppt, um die vielen Schwerkraftfelder leichter regulieren zu können. Jetzt herrschte immer Wind. Er pfiff durch die permanente Nacht um Brennans Labor, er kühlte die Mittagshitze auf dieser Seite der Graskugel. Die Pflanzen starben noch nicht, aber sie würden bald eingehen.

»Hundertsiebzig Jahre«, sagte Alice. »Wir werden nicht einmal erfahren, wie es ausgegangen ist.«

»Vielleicht leben wir so lange.«

»Vielleicht.«

»Brennan muß mehr vom Baum-des-Lebens-Virus haben, als er braucht.« Als sie fröstelte, lachte er.

»Wir müssen bald fort«, sagte sie und setzte sich auf.

»Schau.«

Im Wasserfall erschien ein Kopf. Ein Arm winkte. Kurze Zeit danach schwamm Brennan auf sie zu, mit Armen, die propellerartig wirbelten.

»Ich muß schwimmen wie verrückt«, sagte er. »Ich bin schwerer als Wasser. Wie geht es?«

»Ganz gut. Was macht der Krieg?«

»Es geht.« Brennan zeigte eine Handvoll Spulen in einem wasserdichten Behälter. »Sternkarten. Ich bin praktisch startbereit. Wenn mir eine neue große Waffe einfiele, würde ich bis zu einem Jahr Zeit aufwenden, um sie herzustellen.«

»Wir haben Waffen im Schiff, die können Sie haben«, sagte Roy.

»Danke. Was habt ihr mitgebracht?«

»Handlaserpistolen und Gewehre.«

»Na, viel nützen die nicht. Vielen Dank.« Brennan wollte zum Wasser zurück.

»He!«

Brennan drehte sich um.

»Was?«

»Könnten Sie noch andere Hilfe gebrauchen?«

Brennan sah ihn lange an.

»Ja«, sagte er. »Vergessen Sie aber nicht, daß Sie gefragt haben.«

»Richtig«, sagte Roy entschieden.

»Ich möchte, daß Sie mitkommen.«

Roy stockte der Atem.

»Brennan? Wenn Sie die Hilfe wirklich brauchen, melde ich mich auch«, sagte Alice.

»Tut mir leid, Alice. Ich kann Sie nicht verwenden.«

»Habe ich schon erwähnt, daß ich Polizeiausbildung habe?« brauste sie auf.

»Sie sind schwanger.«

Alice starrte ihn mit offenem Mund an.

»Bin ich das?«

»Hätte ich taktvoller sein sollen? Meine Liebe, Sie erwarten ein freudiges Ereignis –«

»Woher wissen Sie das?«

»Die Hormone haben deutliche Veränderungen hervorgerufen. Hören Sie, so ein Schock kann das doch nicht sein. Sie müssen die letzte –«

»Die letzte Spritze ausgelassen haben«, ergänzte Alice. »Ich weiß. Ich dachte eigentlich, alle Flachländer –«

»Nein, ich kann ein Kind haben«, sagte Roy. »Woher kommen denn unsere Kinder?«

»Na, reg dich nicht auf.« Sie legte die Arme um ihn. »Ich bin stolz. Hast du das begriffen?«

»Ich auch.« Er lächelte gezwungen. »Aber was tun wir jetzt?« Roy schloß die Augen. Als er sie wieder öffnete, starrten ihn Alice und Brennan immer noch an. Was tun?

Alice war schwanger.

Kleine, blaue Punkte.

»Ich – ich – komme mit«, sagte er. »Ich laufe dir nicht weg, Liebes«, sagte er schnell. »Wir bringen ein Kind in die Welt. In dieselbe Welt, die jetzt die Zielscheibe für zweihundertdrei-ßig –«

»Ich habe die zweite Welle entdeckt«, sagte Brennan.

»Verdammt! Das fehlte noch!«

Alice legte die Hand auf seinen Mund.

»Ich verstehe, treue Besatzung. Ich glaube, du hast recht.«

Und es roch überall nach verbrannten Brücken.


Das zweihundert Jahre alte Einstufenschiff sah aus wie ein kleines Insekt mit langem Stachel. Brennan hatte einen ganzen Tag damit zugebracht, Alice den Umgang zu erklären.

Jetzt standen sie unter den Ästen des einzelnen Riesenbaumes und starrten hinauf, als sie mit dem Schiff der Sonne entgegenflog. Die Sonne sah nun seltsam aus. Brennan hatte die Schwerkraftlinse zu einem Startsystem für das Einstufenschiff umgemodelt.

Das Schiff verschwand.

»Sie wird keine Probleme haben«, meinte Brennan. »Mit dem Schiff kann sie etwas erreichen. Es ist nicht nur ein altes Ding, es hat historische Bedeutung, und ich habe einiges verändert –«

»Sicher«, sagte Roy. Er sah, daß das Gras abstarb und die Blätter an den Ästen gelb wurden. Brennan hatte den Teich abgelassen. Kobold hatte seinen Zauber schon verloren.

Brennan schlug ihm auf die Schulter.

»Kommen Sie.« Er ging hinaus in den Schlamm, wo der Teich

gewesen war. Roy folgte ihm. Brennan bückte sich, griff tief in den Schlick und öffnete eine Metalltür. Eine Luftschleusentür.

Nun ging alles ganz schnell. Die Luftschleuse führte in einen engen Kontrollraum mit zwei Pilotensesseln und einem Bildschirm von 360 Grad über einer Steuerkonsole, wie es sie in jedem Raumfahrzeug gab.

»Gurten Sie sich an, wenn Sie wollen«, meinte Brennan. »Wenn wir jetzt scheitern, sind wir ohnehin tot.«

»Sollte ich nicht etwas erfahren –«

»Nein. Sie können sich nach Herzenslust umsehen, sobald wir unterwegs sind. Sie haben ein ganzes Jahr Zeit.«

»Warum dann die Eile?«

Brennan sah ihn von der Seite an.

»Hören Sie, Roy. Ich sitze hier schon länger, als Estelle Randall gelebt hat.« Er schaltete den Schirm ein.

Sie schwebten in dem Loch in Kobolds Ring.

Brennan drückte auf einen Knopf.

Kobold reagierte heftig, wurde langsamer, stand still und fauchte dann hoch wie die Faust eines Kriegsgottes. Roy schrie auf. Er konnte sich nicht helfen. Sie waren in einem Augenblick durch das Loch und sahen die Schwärze des Weltraums vor sich.

Roy drehte den Sessel, um einen Blick auf Kobold zu werfen, aber er sah schon nichts mehr. Sol war ein Stern unter Sternen.

Brennan schaltete auf Vergrößerung, bis Kobold den Schirm ausfüllte, dann drückte er einen roten Knopf.

Kobold begann in sich zusammenzufallen, so als zerknülle eine unsichtbare Faust den Asteroiden. Gestein brodelte und begann rot aufzuglühen.

»Was haben Sie gemacht?« fragte Roy dumpf.

»Die Schwerkraftgeneratoren abgeschaltet. Ich konnte Kobold nicht für die Pak zurücklassen. Je länger sie brauchen, um bei Sol Artefakte zu finden, desto besser ist es für uns.« Kobold war ganz gelbglühend, zerrinnend und winzig. »In ein paar Minuten wird alles auf der Neutroniumkugel kleben. Wenn es sich abgekühlt hat, kann man praktisch nichts mehr finden.«

Kobold war jetzt ein blendend-weißer Punkt.

»Was geschieht jetzt?«

»Ein Jahr, zwei Monate und sechs Tage gar nichts. Wollen Sie sich das Schiff ansehen?«

»Nichts?«

»Damit meine ich, daß wir so lange keine Beschleunigung anstreben.« Brennan drückte auf einen Knopf, und auf dem Bildschirm erschien eine 3 D-Karte von Sol und ihrer Umgebung bis zu fünfundzwanzig Lichtjahren Entfernung. »Wir sind hier, bei Sol. Wir wollen dorthin. Der Punkt liegt genau zwischen Alpha Centauri und Van Maanens Stern. Wenn wir aufdrehen, fliegen wir direkt in die Pak-Flotte. Sie können unsere Geschwindigkeit ihnen gegenüber nicht berechnen, ohne unsere Auspuffgeschwindigkeit zu kennen, und unsere Transversalkomponente kennen sie überhaupt nicht. Sie müssen davon ausgehen, daß ich von Van Maanens Stern zu Alpha Centauri fliege. Ich möchte sie nicht zu Sol zurückführen.«

»Das verstehe ich«, sagte Roy.

»Kommen Sie, sehen wir uns das Schiff an. Sie müssen es fliegen können, wenn mir etwas passiert.«


Der ›Fliegende Holländer‹, so hatte Brennan es getauft.

»Wenn man pedantisch sein will, ließe sich behaupten, daß wir segeln«, meinte Brennan heiter. »Es gibt Gezeiten, Photonenwinde und Staubklippen, an denen wir scheitern könnten.«

Der ›Fliegende Holländer‹ war eine Hohlform aus Felsgestein. Drei große Teil-Höhlungen enthielten die Elemente eines Bussard-Staustrahlschiffes nach Pak-Art. Brennan nannte es ›Protektor‹. In einer anderen Höhle war Roys Frachtschiff untergebracht. Weitere Höhlen waren Zimmer. Es gab einen Hydroponik-Garten.

»Zutritt verboten«, sagte Brennan. »Baum des Lebens. Niemals hineingehen.«

Es gab einen Turnraum. Brennan zeigte Roy, wie er die Geräte auf die Muskeln eines Fortpflanzers einstellen konnte. An Bord des ›Fliegenden Holländers‹ war die Schwerkraft praktisch Null. Sie mußten beide trainieren.

Es gab eine Werkstatt.

Es gab ein Teleskop: groß, aber konventionell.

»Von jetzt an will ich keine Schwerkraftgeneratoren verwenden«, sagte Brennan. »Wir wollen wirken wie ein Steinbrocken. Später werden wir aussehen wie ein Pak-Schiff.«

Roy hielt das für unnötig.

»Die Hälfte von hundertdreiundsiebzig Jahren vergeht, bis die Pak Spuren von dem finden, was wir jetzt machen.«

»Mag sein.«

Und es gab ›Protektor‹.

In den ersten Wochen taten sie wenig, außer Roy Truesdale für den Umgang mit diesem Schiff zu schulen. Brennan verwandelte die Kontrollkapsel in einen Flugsimulator. Roy lernte, stetig bei 0,92 G zu bleiben. Er lernte, die Felder zu fächern, damit die Schubflamme breiter wurde. Die Steuerkapsel war viel größer, als Roy erwartet hatte.

»Soviel Platz hatte Phssthpok aber doch nicht?«

»Nein. Phssthpok mußte Nahrung und Luft und Wiedergewinnungsanlagen für an die tausend Jahre mitschleppen. Ich nicht. Wir haben es noch eng – aber es geht. Phssthpok hatte auch unsere Computertechnologie nicht oder benützte sie nicht.«

»Warum das wohl?«

»Ein Pak sieht nicht ein, warum eine Maschine für ihn denken soll. Er denkt ohnehin schon zu gut – und es gefällt ihm auch zu gut.«

Das Innere der tropfenförmigen Frachtkapsel hatte keine Ähnlichkeit mit dem des fremden Schiffes, das vor zweihundert Jahren ins Sonnensystem gekommen war. Seine Fracht war Tod. Es konnte massive Steuerdüsen ausfahren und kämpfen. Die Längsachse war ein Röntgenstrahllaser. Ein dickes Rohr parallel zum Laser erzeugte ein direktes Magnetfeld.

»Es müßte die Felder in einem Einpoler-Bussard-Antrieb stören. Das wirkt aber vielleicht nicht voll, wenn das Timing nicht stimmt.« Nachdem Roy den Umgang damit gelernt hatte, mußte er lernen, wann er einzusetzen war.

Roy begehrte auf.

»Die Pak-Flotte ist hundertdreiundsiebzig Jahre entfernt«, sagte er. »In fünf Jahren erreichen wir Wunderland. Wozu brauchen Sie da einen Bordschützen? Was mache ich hier überhaupt?«

»Man könnte sagen, daß ich Bescheidenheit gelernt habe«, erwiderte Brennan. »Ich wollte schon lange nach einer Pak-Flotte suchen, habe es aber nicht getan. Die Wahrscheinlichkeit war einfach zu gering. Ab jetzt gehe ich keine Risiken mehr ein.«

»Welche Risiken? Wir wissen doch, wo die Pak-Flotte ist.«

»Ich wollte Sie nicht ängstigen. Die Chance ist klein.«

»Ängstigen! Ich langweile mich!«

»Also gut«, sagte Brennan. »Schalten wir ein bißchen zurück. Wir wissen, wo die erste Flotte ist, und wie groß sie ist. Die zweite Flotte ist erst nach weiteren rund dreihundert Jahren gestartet worden. Ich habe nur eine verschwommene Quelle derselben chemischen Stoffe gefunden, abseits der ersten Flotte, und mit etwas größerer Geschwindigkeit. Sie würden der ersten Flotte nicht unmittelbar nachfliegen, weil das zuviel Treibstoff kostet.«

»Wie groß?«

»Kleiner. Um die hundertfünfzig Schiffe, vorausgesetzt, sie haben die Konstruktion nicht geändert.«

»Gibt es eine dritte Flotte?«

»Wenn ja, dann kann ich sie nie entdecken. Sie brauchten neue Ressourcen, um die zweite Flotte zu bauen. Sie mußten vielleicht Welten in benachbarten Systemen ausbeuten und die Schiffe dort bauen. Wie lange brauchten sie, um eine dritte Flotte zu bauen? Wenn sie da ist, dann zu weit entfernt für mich. Aber der springende Punkt ist, daß es eine letzte Flotte geben muß.«

»Na und?«

»Ich meine, als die letzte Flotte abflog – die zweite oder dritte oder vierte, das spielt keine Rolle – blieben einige Protektoren zurück. Wir nehmen an, daß sie diejenigen ohne Fortpflanzer-Nachkommen waren. Sie blieben zurück, teils, um Platz in den Schiffen zu sparen, und teils, weil sie auf Pak etwas Nützliches leisten konnten.«

»Auf einer leeren Welt? Wie denn das?«

»Sie konnten eine Spähflotte bauen.«

»Aber die wäre doch dann mindestens fünfhundert Jahre hinter den anderen, oder nicht?«

»Klingt albern, was? Aber sie können frei experimentieren. Sie brauchen kein bewährtes Muster zu übernehmen, weil sie nur ihr eigenes Leben aufs Spiel setzen. Sie brauchen keine Frachtkapsel. Sie könnten drei G ewig aushalten, nehme ich an; ich weiß, daß ich es könnte. Das vermindert das Fluggewicht, weil die Reise nicht so lange dauert. Da die Fortpflanzer weg sind, können sie alles Mögliche machen – etwa neue Metallminen erschließen, indem sie in der Rinde von Pak Eruptionen auslösen.«

»Sie haben aber eine Phantasie.«

»Danke. Worauf ich hinauswill, ist Folgendes: Sie könnten vorhaben, die erste Welle der Flüchtlingsschiffe dort zu überholen, wo die Pak-Teleskope nicht mehr ausreichen, die Gegend davor zu erforschen. Von da an führen sie die Flotte. Immer noch gelangweilt?«

»Nein. Das sind aber doch nur Vermutungen. Sie brauchen diese hypothetischen Schiffe nicht gebaut zu haben. Das, was sie aus dem galaktischen Kern vertrieben hat, könnte die Spähschiffe ereilt haben.«

»Es könnte die dritte Welle erwischt und die zweite gestreift haben, ja. Oder die Spähschiffe sind explodiert. Oder – damit Sie nicht vergessen, was ich meine – sie könnten jetzt eintreffen.«

»Sie haben sie nicht gefunden?«

»Was, mit dem ganzen Himmel vor mir? Sie würden außerdem aus wahllos bestimmten Richtungen auf Sol zukommen. So würde ich es jedenfalls machen. Vergessen Sie nicht, was sie zu finden glauben: eine Welt von Pak-Protektoren, die eine zweihundert Jahre alte Zivilisation überwachen. Das ist Zeit genug, eine jungfräuliche Welt aufzubauen, beginnend mit einer Bevölkerung von ... na, dreißig Millionen Fortpflanzer aller Altersstufen hätten Phssthpok etwa drei Millionen neue Protektoren geliefert. Die Späher würden die Position ihrer Flotte nicht verraten wollen.«

»Hm.«

»Ich kann etwas tun, aber es dauert ein paar Tage, bis ich soweit bin. Zuerst muß ich Gewißheit haben, daß Sie mit diesem Schiff kämpfen können. Gehen wir in die Kapsel.«

Ein direktes Magnetfeld würde das interstellare Plasma beim Zufluß in den Bussard-Antrieb in Aufruhr bringen und das Plasma durch das Schiff selbst leiten.

»Wenn es geht, möglichst in der Nähe eines Sterns«, sagte Brennan. »Und sich ja nicht erwischen lassen.«

Der Laser bedeutete sicheren Tod, wenn er ein Schiff traf. Aber ein feindliches Schiff würde mindestens Lichtsekunden entfernt sein, wenn der Kampf begann. Es würde ein kleines, flüchtiges Ziel darstellen. Die Tausendmeilenflügel eines Staustrahlfeldes würden leichter zu treffen sein.

Die Lenkbomben gab es in allen Ausführungen. Manche waren schlichte Fusionsbomben, andere schleuderten Klumpen heißen Plasmas durch ein Staustrahlfeld oder erzielten mit Kohlendampf plötzliche Steigerungen der Brennrate oder schossen eine halbe Tonne Radongas in ein Stasisfeld. Schlichter Tod oder komplizierter. Manche waren nur Tarnung, silberne Ballons.

Roy lernte. Die Kriegsspiele, die ihm Brennan aufzwang, beschäftigten ihn unaufhörlich. Drei Tage lang hockte er in der Kapsel, aß und trank dort und ersetzte den Schlaf durch Aufputschmittel. Immer neue Aufgaben, Schiffe von vorn und von hinten, oben, unten, bis sich alles um ihn drehte. Er zerfetzte die Pak-Schiffe, setzte alles an Waffen ein, was er besaß, sah die Spähschiffe zerplatzen und verglühen, mußte sich immer wieder sagen, daß dies alles nicht Wirklichkeit war, nur ein Spiel.

»Gut gemacht«, sagte Brennan, als Roy an der Konsole zusammensank. »Von den Waffen bleibt nicht mehr viel, aber das macht nichts, wenn keine Spähschiffe mehr auftauchen. Sie haben keinen Reservetreibstoff mehr, um in eine Umlaufbahn um Wunderland einzubiegen, Sie haben zuviel verbraucht. Aber

Sie können ›Protektor‹ aufgeben und mit dem Frachtschiff landen.«

»Fein. Sehr beruhigend. Jetzt erklären Sie mir nur noch, wie ein Pak-Späher meiner eigenen Antriebsflamme nachfliegen und zu mir ins Heck kriechen kann!«

»Eine Möglichkeit unter anderen. Ich zeige es Ihnen noch genau an den Graphiken.«

Roy hatte sich ein wenig beruhigt, als er den Kontrollraum des ›Fliegenden Holländers‹ betrat. Er begann jedoch zu zittern. Drei Tage im Steuersessel des ›Protektor‹ hatten ihn erschöpft.

»Also«, sagte Brennan. »Ihr Staustrahlfeld saugt über dreitausend Meilen hinweg interstellaren Wasserstoff an. Es zieht ihn mit Magnetfeldern herein, preßt ihn fest und lange genug zusammen, bis es zur Kernverschmelzung kommt. Was dabei herauskommt, ist Helium und Rest-Wasserstoff und einige andere Fusionsprodukte.«

»Richtig.«

»Es ist außerdem ein heißer, ziemlich eng gebündelter Strom. Mit der Zeit verstreut er sich ins Nichts, wie jede Raketenflamme. Aber angenommen, ein Schiff folgt Ihnen *hier*.« Brennan warf Bilder auf den Schirm: zwei winzige Schiffe, das zweite hundert Meilen hinter dem ersten. Er legte einen breiten Kegel vor das voranfliegende Schiff und ließ ihn dann dahinter zu einem Punkt zusammenströmen. Von der Spitze des Schiffes floß der hereinströmende Wasserstoff in eine Ringform.

»Sie sammeln den Treibstoff für ihn. Sein Staustrahlfeld hat nur einen Durchmesser von hundert Meilen« – Brennan zeichnete einen viel schmaleren Kegel – »und verleiht ihm bessere Steuerung über seinen Treibstofffluß. Er ist bereits heiß und dicht. Er brennt besser. Die Flamme ist reich an Beryllium.

Das gehört zu den Dingen, die diese letzten Pak hätten versuchen können. Das Führungsschiff wäre nichts als ein Staustrahlantrieb: kein Treibstoff an Bord, kein Systemmotor, keine Fracht. Man müßte es zuerst anschleppen. Das nachfolgende Schiff ist schwerer, bekommt aber mehr Schub.«

»Sie glauben, daß so etwas auf uns zukommt?«

»Vielleicht. Es gibt auch noch andere Methoden. Zwei voneinander unabhängige Schiffe, durch einen Schwerkraftgenerator zusammengehalten. Im Notfall könnten sie sich trennen. Oder das Führungsschiff könnte das eigentliche Schiff sein, und das Schiff dahinter würde lediglich als Nachbrenner dienen. So oder so kann ich sie finden. Sie bringen Berylliumfrequenzen hervor, die unübersehbar sind. Ich brauche nur den Detektor zu bauen.«

»Soll ich mithelfen?«

»Später. Schlafen Sie sich erst mal aus. In einem Monat üben wir wieder.«

Brennan blieb drei Tage in der Werkstatt. Wenn er schlief, dann dort. Die Vibration seiner Maschinen übertrug sich auf die Rumpfwände des ›Fliegenden Holländers‹.

Roy las ein paar alte Romane, die im Computer gespeichert waren. Er schwebte durch nackte Felshöhlen und Korridore und empfand das Gefühl, unter dem Boden eingesperrt zu sein, als bedrückend. Er trainierte im Turnraum bis zur Erschöpfung.

Er beschäftigte sich mit Wunderland und fand, was er erwartet hatte. G: 61%. Bevölkerung: 1 024 000. Kolonisierter Bereich 3 000 000 Quadratmeilen. Größte Stadt: München. Bis er hinkam, würde ihm München wahrscheinlich wie New York vorkommen.

Am vierten Tag wurde es in der Werkstatt still. Brennan schlief anscheinend. Er wollte wieder gehen, als Brennan die Augen öffnete und zu sprechen begann.

»Sie verlassen sich zu sehr auf die langen, weiten Ausweichmanöver«, sagte er. »Den Pak entgeht man am besten mit Schubveränderungen.«

Roy geriet nicht aus der Ruhe. Er war schon an Brennans Art gewöhnt, Themen nach langer Pause wieder aufzunehmen.

»Sie haben zwei Tage nicht gegessen«, meinte er. »Ich wollte –«

»Kein Hunger. Mein Prisma ist im Ofen, und ich muß warten, bis es abkühlt.«

»Ich könnte –«

»Nein, danke.«

»Irgendeine Bedeutung?«

»Hab' ich Ihnen nicht gesagt, daß ich berechenbar bin? Wenn keine Pak-Späher in der Nähe sind, könnten Sie ebensogut allein nach Wunderland weiterfliegen. Fast alles, was ich über die Pak weiß, ist im Computer gespeichert. Wenn ein Protektor das Gefühl hat, daß er nicht gebraucht wird, hört er auf zu essen.«

»Sie hoffen also gewissermaßen, daß wir Pak-Späher finden.«

Brennan lachte.

Am Abend desselben Tages zog er eine Maschinerie von dreihundert Pfund hinter sich her, Hauptstück – ein großes, massives Kristallprisma. Am Brennpunkt des Teleskops baute er das Ganze zusammen. Roy brachte ihm ein Sandwich und überredete ihn, es zu essen.

Als Roy Brennan am Nachmittag des fünften Tages suchte, fand er ihn in dem einen Raum, den er nicht betreten durfte, im Hydro-Garten. Brennan ging an einem offenen Behälter entlang und schlang eine Süßkartoffel nach der anderen in sich hinein.

Das Prisma warf ein Regenbogenspektrum auf eine weiße Oberfläche. Brennan deutete auf eine hellgrüne Linie.

»Berylliumlicht mit Blauverschiebung«, sagte er. »Und die Heliumlinien sind im violetten Bereich. Normalerweise ist Beryllium im Infraroten.«

»Blauverschiebung.« Jedes Schulkind wußte, was das bedeutete. »Er fliegt uns genau ins Gesicht.«

»Nicht unbedingt. Er kommt auf uns zu, aber vielleicht nicht direkt. Wir haben Sol erst ein paar Lichtwochen hinter uns, er ist ein Lichtjahr entfernt, und ich glaube, er verzögert. Ich muß nachsehen, ob wir seine Antriebsflamme wahrnehmen. Aber ich glaube, er ist unterwegs zur Sonne.«

»Brennan, das ist noch schlimmer.«

»Schlimmer geht es nicht. In einem Moment wissen wir Bescheid. Bis dahin hat er sich bewegt. Wir können die Parallaxenverschiebung berechnen.«

»Ein Monat! Aber —«

»Augenblick mal. Immer mit der Ruhe. Wie weit kommt er in einem Monat? Er liegt weit unter der Lichtgeschwindigkeit; wir sind wahrscheinlich schneller als er. Ein Monat kostet uns nicht viel – und ich muß wissen, wieviele es sind, wo sie sind, und wohin sie fliegen. Und ich muß etwas bauen.«

»Was denn?«

»Einen Apparat. Etwas, das mir eingefallen ist, nachdem wir die Pak-Flotte gefunden hatten, als ich sah, daß Pak-Späher auftauchen könnten. Die Entwürfe sind im Computer.«

Eines Tages war Brennan nicht im Labor. Roy suchte ihn. Je länger es dauerte, desto störrischer wurde er, aber Brennan schien nirgends an Bord zu sein. Er fragte sich endlich: Wie würde Brennan vorgehen? Wenn er nicht da drinnen ist, ist er draußen. Was gibt es draußen Wichtiges?

Richtig. Vakuum und Zugang zur Oberfläche.

Der Baum, das Gras, der Schlick des Teichbodens waren allesamt gefriergetrocknet und tot. Die Sterne wirkten grell und unheimlich, wirklicher als auf dem Bildschirm. Roy konnte sie als Schlachtfeld sehen: die ungesehenen Welten als umkämpfte Gebiete, die Gashüllen um Sterne als tödliche Fallen für unachtsame Krieger.

Er entdeckte Brennans Lampe.

Brennan arbeitete im Vakuum und baute . . . etwas.

»Nicht zu nah heran«, sagte Brennan in sein Mikrofon. »Ich habe Zeit genug gehabt, mit dieser Steinkugel zu spielen, als ich Kobold geformt habe. Unter der Landschaft gibt es genug reine Metalle.«

»Was machen Sie?«

»Etwas, womit man aus der Ferne einen polarisierten Schwerkraftgenerator zum Zusammenbruch bringen kann. Wenn sie mit selbsterzeugter Schwerkraft ihre Schiffe beisammen halten, müssen sie sie polarisieren, damit sie über solche Entfernungen wirkt. Den Generator bringen sie im Nachhutschiff unter, weil das genug überschüssige Energie erzeugt, um das Feld aufrechtzuerhalten.«

»Wenn sie aber etwas anderes verwenden?«

»Dann habe ich einen Monat vergeudet. Aber ich glaube nicht, daß sie Kabel verwenden. Bei der Verzögerung hält nicht einmal ein Pak-Kabel die Flamme des Antriebs aus. Ich habe selbst schon versucht, ein Pak-Spähschiff zu konstruieren. Leicht ist es nicht, weil ich nicht weiß, was sie alles haben. Von unserem Standpunkt aus das Schlimmste wären zwei unabhängige Schiffe mit schweren, vielseitigen Staustrahlfeld-Generatoren. Wenn man beim Kampf zwei führende Schiffe verliert, könnte man die nachfolgenden zusammenhängen, und umgekehrt. Aber daran glaube ich nicht. Je raffinierter die einzelnen Schiffe sind, desto weniger werden es sein. Ich glaube an einen Kompromiß. Das Führungsschiff ist ein Bussard-Staustrahlantrieb, geeignet für den Kampf, aber von unserem Schiff nicht so sehr verschieden. Vielseitiger ist das nachfolgende Schiff mit dem übergroßen Staustrahlfeld-Generator. Man könnte zwei Nachfolgeschiffe zusammenhängen, aber nicht zwei führende. Die Führungsschiffe sind ohnehin verwundbarer, das haben Sie bei den Übungen gesehen.«

»Dann sind diese Spähschiffe gefährlicher als die, mit denen ich gekämpft habe.«

»Und es sind drei.«

»Drei.«

»Sie nähern sich aber in einem Kegel – Sie erinnern sich an die Karte des Gebietes um Sol? In einem Bereich gibt es fast nur rote Zwergsterne, und da kommen sie durch. Ich nehme an, sie wollen einen Fluchtweg für die Flotte erkunden, falls bei Sol etwas schiefgeht. Ansonsten klären sie, ob Sol sauber ist, und fliegen weiter zu anderen gelben Zwergsternen. Im Augenblick sind sie alle etwa ein Lichtjahr von Sol entfernt und etwa acht Lichtmonate auseinander.«

»Es könnten noch mehr sein«, sagte Roy fröstelnd.

»Das bezweifle ich«, meinte Brennan. »Ich habe bei keiner Frequenzverschiebung neue Berylliumspuren gefunden.«

»Na schön. Jetzt müssen wir sie von Sol fernhalten. Bieten wir uns selbst als Köder an?«

»Ja. Ich muß hier fertig werden. Prägen Sie sich die örtliche

Astronomie ein; das wird unsere Gefechtskarte. Informieren Sie sich über Heimat. Wir fliegen nicht nach Wunderland, sondern nach Heimat – wenn uns die Wahl bleibt.«

»Wieso?«

»Sagen wir, ich habe vor, im Weltraum scharf rechts abzubiegen. Danach ist Heimat das bessere Ziel. Außerdem gibt es dort eine gute Industriezivilisation.«

*Heimat: Epsilon Indi 2, zweiter von fünf Planeten in einem System, das außerhalb 200 wahllos verteilte Asteroiden umfaßt. Schwerkraft: 1,08. Durchmesser: 8800 Meilen. Rotation: 23 Stunden 10 Minuten. Jahr: 181 Tage. Atmosphäre: 23%/o Sauerstoff, 76%/o Stickstoff, 1%/o ungiftige Spurengase. Druck in Meereshöhe: 11 pds/[1] Quadratzoll.*

*Ein Mond. Durchmesser: 1200 Meilen. Schwerkraft: 2. Oberflächenzusammensetzung: annähernd wie Erdmond.*

*Entdeckung gemeldet 2094 durch Staustrahlrobotersonde. Besiedelt 2189 mit Schleppbooten und Staustrahlrobotern ...*

Die Schleppboote hatten jeweils sechzig Kolonisten im Kühlschlaf transportiert. Ein Jahrhundert vorher hätte man für sechzig Kolonisten noch drei oder vier Schleppboote gebraucht. Obwohl kein Lebewesen die Fahrt in einem Staustrahlroboter überstehen konnte, hatte es sich als möglich erwiesen, über die Roboter Treibstoff an die Schleppboote zu vermitteln.

Die ersten Kolonisten hatten ihre neue Welt ›Flachland‹ nennen wollen. Nach der Landung auf ›Heimat‹ hatten sie es sich anders überlegt: ein verspäteter Anfall von Patriotismus.

Bevölkerung: 3 200 000. Kolonisiertes Gebiet: 6 000 000 Quadratmeilen. Wichtige Städte ... Roy prägte sich die Karten ein. Große und kleine Städte hatten sich vor allem an Flußgabelungen entwickelt. Die Agrargemeinschaften befanden sich alle in Küstennähe. Auf Heimat gab es viel Leben im Meer und wenig auf dem Land, und jede Art von Agrarwirtschaft verlangte nach einer kompletten Ökologie, aber die Meereslebewesen wurden ausschließlich als Düngemittel verwendet.

Drei Millionen ... Eine Bevölkerung von drei Millionen zu diesem Zeitpunkt bedeutete eine hohe Geburtenrate. Auf Heimat würde man also nicht geniale Begabung nachweisen oder das Rad erfinden müssen, um Vater werden zu dürfen. Immerhin ... er würde Kinder auf zwei Welten haben.

Das Ding, an dem Brennan arbeitete, war etwas länger als er, schwer und zylindrisch. Er hatte es in die Nähe einer der großen Türen gebracht, hinter denen die Teile des ›Protektor‹ lagen.

»Ich möchte ganz sichergehen, daß ich das Feld ausreichend polarisieren kann«, sagte er zu Roy. »Sonst kippt der ganze ›Protektor‹ hinein.«

»Wie Kobold, hm? Können Sie das?«

»Ich glaube schon. Die Pak konnten es – nehmen wir an. Wenn ich es nicht kann, muß ich davon ausgehen, daß sie ihre Schiffe auf andere Weise zusammenhalten.«

»Und wo fliegt es?«

»Ich hänge es hinten an die Waffenkapsel an, und Ihr Frachtschiff hinter das Lebenssystem. Wir machen einen etwas auseinandergezogenen Eindruck. Die Pak werden sich nicht darüber wundern, daß ich die Konstruktion verändert habe. Sie hätten es mit den nötigen Mitteln auch getan.«

»Wie kommen Sie darauf, daß sie sie nicht haben?«

»Das glaube ich nicht«, sagte Brennan. »Ich frage mich immer, was sie für mich bauen werden, sobald sie wissen, was ich habe.«


Eines Tages kam er zurück ins Observatorium.

»Alles fertig«, sagte er. »Ich kann das polarisierte Schwerkraftfeld erzeugen. Das heißt, ein Pak kann es auch, und das heißt, daß sie es vermutlich schon haben.«

»Dann sind wir bereit zum Start. *Endlich.*«

»Sobald ich weiß, was die Pak-Späher machen. Zwölf Stunden, ich verspreche es.«

Auf dem Teleskopschirm zeigten sich die Pak-Späher als winzige, grüne Pünktchen, weit voneinander entfernt, aber Sol merklich nähergerückt.

»Noch immer drei G«, sagte Brennan. »Wenn sie Sol erreichen, stehen sie still. Bis jetzt habe ich recht gehabt. Mal sehen, wie weit das geht.«

»Ist es nicht an der Zeit, mir zu sagen, was Sie vorhaben?«

»Richtig. Wir verlassen jetzt den ›Fliegenden Holländer‹. Zum Teufel mit dem Versuch, den Eindruck zu erwecken, ich käme von Van Maanens Stern. Sie sehen uns ohnehin aus dem falschen Winkel. Ich starte mit 1,08 G Richtung Wunderland, bleibe ungefähr einen Monat dabei, erhöhe auf 2 G und fliege in weitem Bogen vor ihnen davon. Wenn sie mich in dieser Zeit entdeckt haben, werden sie mir nachfliegen, wenn sie den Eindruck gewonnen haben, ich sei gefährlich genug.«

»Warum«, sagte er, bevor ihm einfiel, daß 1,08 G die Oberflächenschwerkraft von Heimat war.

»Sie sollen nicht glauben, ich sei ein Pak. Noch nicht. Sie jagen eher ein fremdes Wesen, das fähig ist, ein Pak-Schiff zu bauen oder zu stehlen. Und ich möchte nicht die Erdschwerkraft benutzen. Das wäre ein klarer Hinweis.«

»Na gut, aber jetzt denken sie doch, Sie kämen von Heimat. Wollen Sie das?«

»Ich glaube schon.«

Auf Heimat hatte also niemand die Wahl, ob er in den Krieg eintreten wollte. Roy seufzte. Wer hatte sie schon?

»Wenn aber nun zwei weiter zu Sol fliegen und uns nur die anderen verfolgen?«

»Das ist ja das Schöne an der Sache. Sie sind immer noch acht Lichtmonate auseinander. Jeder muß seinen Kurs acht Monate vor den anderen ändern. Die Umkehr könnte sie weitere eineinhalb Jahre kosten. Inzwischen sagen sie sich vielleicht, daß ich zu gefährlich bin, um entwischen zu dürfen.« Brennan hob den Kopf. »Sie teilen meine Begeisterung nicht.«

»Brennan, es dauert zwei verdammte Jahre, bevor Sie auch nur wissen, ob sie Ihnen folgen. Ein Jahr, bis sie Sie entdecken, ein Jahr, bevor Sie sehen, daß sie den Kurs ändern.«

»Nicht ganz zwei Jahre. Wieviel Langeweile können Sie ertragen?«

»Ich weiß nicht.«

»Ich kann Ihnen aus zwei Radonbomben eine Stasisfeld-Kapsel machen.«

Ihr Götter, ein Aufschub! »Das ist prima. Aber Sie müßten das Radon wegwerfen, nicht?«

»Nein, nein. Ich schaffe nur zwei Bomben ins Lebenssystem und bringe zwischen den Generatoren eine Metallhülle an.«

Das Gewissen regte sich bei Roy.

»Hören Sie, empfinden Sie auch so wie ich? Was das Warten angeht, meine ich. Wir könnten uns ablösen.«

»Ach was. Ich könnte auf das Jüngste Gericht warten, ohne die Hände zu bewegen, wenn ich einen Grund hätte.«

Roy lachte. Die dauernden Verzögerungen hatten ihn nervös gemacht.

Die Stasis-Kapsel war ein weicher Eisenzylinder, über zwei Meter hoch, an zwei Radonbomben angeschweißt zu einer Gesamtlänge von über vier Metern. Sie paßte Roy wie ein Sarg. Sie fühlte sich an wie ein Sarg. Roy biß die Zähne zusammen, als er darauf wartete, daß Brennan die gewölbte Luke schloß.

Es klang ganz endgültig.

Bist du sicher, daß das klappt?

Idiot. Heimat ist so besiedelt worden. Natürlich klappt es.

Er wartete in der Dunkelheit. Er stellte sich vor, daß Brennan die Schweißarbeiten und die Verkabelung beendete, bevor er den Schalter anschloß. Dann – würde er nicht spüren, wie die Zeit verrann. Wenn die Tür aufging, würde er albern fragen: »Hat es nicht geklappt?«

Von oben prasselte plötzlich Schwerkraft auf ihn herunter. Roy fiel auf den Boden und blieb liegen. Er ächzte vor Überraschung und Schreck. Fragen war unnötig: ›Protektor‹ war im Flug und schaffte leicht drei G.

Die Luke ging auf. Brennan griff unter seine Achseln und hob an. Seine Hände waren so hart wie Axtschneiden. Er trug Roy zu einem Sessel und schob ihn hinein.

»Bin kein Krüppel«, brummte Roy.

»Sie werden sich aber so vorkommen.« Brennan ließ sich ebenso vorsichtig im anderen Sessel nieder. »Sie haben angebissen. Sie verfolgen mich. Seit zwei Jahren machen wir 2,16 G. Ich bin so niedrig geblieben, weil ich befürchtete, sie könnten meinen, ich wäre viel schneller als sie.«

»Wären Sie es? Was machen sie?«

»Ich zeige es Ihnen.« Auf dem Bildschirm tauchten Sterne auf. »Der Ablauf von zwei Jahren kondensiert zu zehn Minuten. So sehen Sie es besser. Entdecken Sie die Pak-Schiffe?«

»Ja.« Drei grüne Punkte, sichtbar langgezogen, sichtbar in Bewegung. Kurze Zeit später glitt ein grellweißer Punkt – Sol – von links heran.

»Ich habe ihre Parallaxe gemessen, als sie den Kurs geändert haben. Niedrige Beschleunigung, aber schnelle Wendung, mit fast dem gleichen Wenderadius wie wir. Die Schiffe müssen einzeln abgedreht haben, aber jetzt sind sie wieder zu zweit gekoppelt und nähern sich mit fünfeinhalb G.«

»Das haben Sie fast genau erraten.«

»Vergessen Sie nicht, daß Phssthpok ein paar Tage lang mein Mentor war. Ich dachte mir, ein gesunder Pak kann drei G dauernd und sechs G fünf Jahre lang aushalten, was dann seinen Tod bedeutet. Sie kannten ihre Grenzen und haben sich danach gerichtet.«

Drei grüne Sterne glitten auf Sol zu. Der Reihe nach erloschen sie und tauchten wieder auf, nun dunkler, gelber.

»Umstellung auf Beschleunigung«, vermerkte Brennan.

Roy schaute eine ganze Minute zu, aber nichts rührte sich, außer daß die grünen Sterne etwas heller wurden.

»So stehen wir jetzt. Diese Bilder sind etwa ein Lichtjahr entfernt. Die Schiffe selbst wären zwei Lichtmonate näher, vorausgesetzt, daß sie uns mit stetiger Beschleunigung verfolgt haben. In ein paar Monaten wissen wir, ob jemand umgekehrt ist. Sonst würde uns das führende Paar in etwa vierzehn Monaten Schiffszeit erreichen, nur müssen sie an irgendeiner Stelle verzögern und versuchen, ob sie uns mit der Schubflamme wehtun können, so daß es etwas länger dauern wird.«

»Vierzehn Monate.«

»Schiffszeit. Wir haben relativistische Geschwindigkeiten. Wir legen eine viel größere Entfernung zurück.«

Roy schüttelte den Kopf.

»Ich habe das Gefühl, daß Sie mich ein wenig früh geweckt haben.«

»Eigentlich nicht. Mir fällt nichts ein, was sie mir über diese Entfernung hinweg antun könnten, aber ich bin nicht sicher, ob ihnen nicht etwas eingefallen ist. Sie müssen wach und völlig erholt sein, falls mir etwas zustößt. Und die Bomben kommen wieder in die Waffenkapsel.«

»Klingt recht unwahrscheinlich. Was könnten sie Ihnen tun, das mich nicht auch das Leben kosten würde?«

»Na schön, ich hatte noch einen anderen Grund, Sie zu wekken. Ich hätte Ihnen gleich nach dem Abflug von Kobold eine Stasis-Kapsel bauen können. Warum habe ich das nicht getan?«

Roy fühlte sich müde. Zog die Schwerkraft das Blut aus seinem Gehirn?

»Ich mußte trainiert werden, um das Kampfschiff führen zu können.«

»Und sind Sie in der Verfassung zu kämpfen? Keine Spur. Wenn es losgeht, müssen Sie beweglich sein.«

»Gut. Wollen wir –?«

»Heute bleiben Sie einfach liegen. Morgen gehen wir ein bißchen herum. So, als wären Sie krank gewesen.« Brennan sah ihn von der Seite an. »Nehmen Sie es nicht so tragisch. Passen Sie auf.«

Roy hatte vergessen, daß er in Phssthpoks eigener Steuerkapsel saß, mit einem Rumpf, den man jederzeit durchsichtig machen konnte. Er war verblüfft, als die Wand plötzlich unsichtbar wurde. Dann schaute er hin.

*So* schnell waren sie. Die Sterne hinter ihnen waren bis zur Schwärze rot verschoben. Vor und über ihnen waren sie violett-weiß. Und vom Zenith strömten sie zurück wie ein Regenbogen: violett, blau, grün, gelb, orange, rot, in sich dehnenden Ringen.

»Kein Mensch hat das je zuvor gesehen«, sagte Brennan, »außer Sie zählen mich zu den Menschen.« Er deutete hinauf. »Da. Das ist Epsilon Indi.«

»Ein wenig abseits.«

»Wir fliegen nicht direkt darauf zu. Ich sagte doch, ich möchte im Weltraum rechtwinklig abbiegen. Es gibt nur eine Stelle, wo ich das kann.«

»Können wir es vor den Spähschiffen schaffen?«

»Knapp vor dem zweiten Schiff, denke ich. Mit dem ersten müssen wir kämpfen.«

Roy schlief zehn Stunden am Tag. Zweimal täglich machte er lange Spaziergänge, vom Kontrollturm um den Turnraum herum, jeden Tag eine Runde mehr. Brennan begleitete ihn, um ihn notfalls aufzufangen. Er konnte tot sein, wenn er falsch stürzte.

Sie brachten die Radonbomben in die Waffenkapsel zurück, diesmal im freien Fall, und zwei Stunden lang hatte Roy wieder seine ganze Kraft. Danach schleppte er sich wieder bei 2,16 G herum, ein Schwächling von vierhundert Pfund.

Mit Brennans Hilfe arbeitete er einen Kalender für den längsten Krieg aller Zeiten aus:

*33 000 v. Chr.: Phssthpok verläßt Pak.*

*32 800 v. Chr.: Erste Auswandererwelle verläßt Pak.*

*32 500 v. Chr.: Zweite Auswandererwelle.*

*X: Pak-Späher.*

*2125 A.D.:Phssthpok erreicht Sol. Brennan wird Protektor.*

*2340 A.D.: Truesdale entführt.*

*2341 A.D., Oktober: Pak-Flotte entdeckt.*

*2341 A.D., November: ›Fliegender Holländer‹ startet. Kobold wird zerstört.*

*2342 A.D., Mai: Pak-Spähschiffe entdeckt.*

*2342 A.D., Juli: Truesdale in Stasis-Kapsel. ›Protektor‹ startet.*

An dieser Stelle würde die Relativität die Datierung durcheinanderbringen. Roy beschloß, nach der Schiffszeit zu gehen, vorausgesetzt, daß er alles mitmachen mußte.

*2344 A.D., April: Pak-Schiffe ändern Kurs.*

*2344 A.D., Juli: Truesdale verläßt Stasis-Kapsel.*

## HYPOTHETISCHE DATEN:

*2345 A.D., September: Begegnung mit ersten Pak-Schiffen.*
*2346 A.D., März: Rechtwinkliges Abbiegen ›?‹. Pak-Späh-schiffe abhängen.*
*2350 A.D.: Ankunft Heimat. Kalender umstellen.*

Roy studierte Heimat. Über viele Jahrzehnte hinweg hatte es starken Nachrichtenlaserverkehr zwischen Erde und Heimat gegeben. Es gab Reiseberichte, Biographien, Romane und auch Schilderungen des täglichen Lebens. Brennan hatte schon alles gelesen; bei seiner Lesegeschwindigkeit hatte er diesen Vorsprung von zwei Jahren überhaupt nicht gebraucht.

Brennan besaß ein eidetisches Gedächtnis und einen Sinn für Feinheiten.

»Zum Teil Gürtelbewohner-Art«, sagte er zu Roy. »Sie wissen, daß sie in einer künstlichen Umwelt sind, und wollen sie beschützen. In ›Der kürzeste Tag‹, etwa, wo Ingram erschossen wird, weil er auf dem Gras herumläuft – das ist direkt einem Vorfall der frühesten Geschichte von Heimat entnommen. Sie finden das in Livermores Biographie. Was die Begräbnisbräuche angeht, so stammen sie vermutlich auch aus der allerersten Zeit. Die ersten hundert Leute, die auf Heimat starben, kannten einander so gut, wie Sie Ihren Bruder. Jeder Todesfall war damals wichtig, für alle Menschen auf der Welt.«

»Ja, wenn man es so ausdrückt . . . und mehr Platz haben sie auch. Sie brauchen keine Krematorien.«

»Richtig. Es gibt endloses, nutzloses Land, nutzlos, bis es auf irgendeine Weise gedüngt wird. Je größer der Friedhof wird, desto deutlicher zeigt er, wie der Mensch Heimat erobert hat. Vor allem, wenn Bäume und Gras dort wachsen, wo zuvor nie etwas gewachsen war.«

»Die Leute scheinen aber nicht besonders kriegerisch veranlagt zu sein«, meinte Roy. »Wir müssen sie auf Krieg umstellen, bevor die Pak-Späher Heimat finden. Auf irgendeine Weise.«

Aber darüber wollte Brennan nicht sprechen.

»Unsere ganzen Informationen sind zehn bis hundert Jahre alt. Ich weiß nicht genug über Heimat, wie der Planet jetzt ist. Wir müssen eben improvisieren.« Er schlug Roy auf die Schulter; es war, als werde man von einem Sack voller Walnüsse getroffen. »Kopf hoch. Vielleicht kommen wir gar nicht hin.«

Sie spielten miteinander und benützten Analogprogramme im Computer. Brennan gewann immer bei Schach, Dame, Scrabble und ähnlichen Spielen. Aber Rommé und Domino waren Spiele, wohl schwer zu lernen, aber leicht zu beherrschen. Sie blieben dabei. Brennan gewann noch immer mehr, als ihm zustand, weil er in Roys Gesicht lesen konnte.

Sie führten lange Diskussionen über Philosophie und Politik und die Wege der Menschheit. Sie lasen viel. Brennan besaß Material über alle bewohnten Welten, nicht nur über Heimat und Wunderland.

Über viele Monate steigerte Roy sein Training und verringerte die Schlafperiode. Er war wieder kräftig und kam sich nicht mehr vor wie ein Krüppel. Seine Muskeln waren härter als je zuvor in seinem Leben.

Und die Pak-Schiffe kamen immer näher.

Durch die Twingwand waren sie unsichtbar, schwarz an einem schwarzen Himmel. Sie waren immer noch zu weit entfernt, und sie brachten nicht nur sichtbares Licht hervor. Aber bei Vergrößerung zeigten sie sich: das Funkeln der Hysterese in den weiten Flügeln des Staustrahlfeldes, und im Mittelpunkt das kleine, stetige Licht des Antriebs.

Zehn Monate, nachdem Roy die Stasis-Kapsel verlassen hatte, erlosch das Licht des führenden Paares. Minuten später leuchtete es wieder auf, aber trüb und flackernd.

»Sie verzögern«, sagte Brennan.

Nach einer Stunde erzeugte der Antrieb des Gegners ein gleichmäßiges Glühen, das Rot blauverschobener Beryllium-Emission.

»Ich muß auch wenden«, sagte Brennan.

»Sie *wollen* mit ihnen kämpfen?«

»Auf jeden Fall mit dem ersten Paar. Wenn ich jetzt abdrehe, haben wir ein besseres Fenster.«

»Fenster?«

»Für das rechtwinklige Abbiegen.«

»Hören Sie, entweder Sie erklären mir das oder reden nicht dauernd davon.«

Brennan lachte in sich hinein.

»Ich muß doch Ihr Interesse wachhalten, oder?«

»Was haben Sie vor? Eine enge Umlaufbahn um ein Schwarzes Loch?«

»Kompliment, nicht schlecht geraten. Ich habe einen nichtrotierenden Neutronenstern gefunden – fast nicht-rotierend. Ich würde nicht wagen, in die strahlende Gashülle um einen Pulsar zu tauchen, aber dieses Ding scheint eine lange Rotationszeit und überhaupt keine Gashülle zu haben. Und es leuchtet nicht. Es muß ein alter Stern sein. Die Späher werden ihn nur schwer finden, und ich kann eine Hyperbel durch das Schwerkraftfeld berechnen, die uns direkt zu Heimat bringt.«

So beiläufig Brennan das auch sagte, es klang gefährlich. Und die Pak-Schiffe rückten immer näher. Vier Monate später war das erste Schiffspaar mit bloßem Auge sichtbar, ein blaugrüner Punkt, allein an einem schwarzen Himmel.

Sie verfolgten, wie er wuchs. Die Antriebsflamme erzeugte auf Brennans Instrumenten Wellenlinien.

»Nicht allzu schlimm«, sagte Brennan. »Sie wären natürlich tot, wenn Sie eine Weile hinausgehen würden.«

»Ja.«

»Ich frage mich, ob er nah genug ist, um es mit dem Schwerkraft-Apparat zu versuchen.«

Roy schaute zu, verstand aber nichts, als Brennan an der Konsole arbeitete. Brennan hatte ihm nie gezeigt, wie diese eine Waffe zu bedienen war. Sie war zu empfindlich, zu sehr von Intuition abhängig. Aber zwei Tage später erlosch das blaugrüne Licht.

»Hab' ihn«, sagte Brennan befriedigt. »Jedenfalls das hintere Schiff. Wahrscheinlich ist er in sein eigenes Schwarzes Loch gefallen.«

»Ist es das, was Ihr Apparat leistet? Den Schwerkraftgenerator eines anderen zu einer Hypermasse zusammenbrechen lassen?«

»Das soll er leisten. Aber warten wir mal.« Er beschäftigte sich mit dem Spektroskop. »Richtig. Nur Heliumlinien. Das hintere Schiff ist weg, das vordere nähert sich mit etwa 1 G. Er wird früher an mir vorbeikommen, als er erwartet hat. Er hat nur zwei Möglichkeiten. Flüchten oder rammen. Ich vermute, daß er versuchen wird, zu rammen – sozusagen.«

»Er wird versuchen, sein Staustrahlfeld herüberzuwerfen. Das würde uns töten, nicht wahr?«

»Ja. Ihn auch. Tja –« Brennan ließ ein paar Raketen fallen, dann änderte er den Kurs.

Zwei Tage später war das Führungsschiff verschwunden. Brennan lenkte ›Protektor‹ auf den alten Kurs zurück. Es war ganz wie eine von Brennans Übungen gewesen, nur hatte es diesmal noch länger gedauert.

Der nächste Angriff war anders.

Es dauerte sechs Monate, bis die übriggebliebenen Pak nah herankamen, aber eines Tages waren sie mit dem bloßen Auge sichtbar, zwei trüb-gelbe Punkte in der Schwärze hinter dem Heck. Ihre Geschwindigkeit lag nicht mehr viel über jener des ›Protektor‹.

Aus einer ursprünglichen Entfernung von acht Lichtmonaten hatten sich die Spähschiffpaare im Lauf der Jahre einander genähert, bis sie fast Seite an Seite flogen, dreißig Lichtstunden hinter ›Protektor‹.

»Zeit, es wieder mit dem Schwerkraft-Apparat zu versuchen«, sagte Brennan.

Roy blickte zu den gelben Punkten hinauf. Er wußte, daß er zweieinhalb Tage lang nichts sehen würde . . .

Und irrte sich. Der Blitz kam von unten und erleuchtete das Innere der Lebenssystem-Kapsel. Brennan reagierte sofort und drückte auf eine Taste, beugte sich angespannt über die Instrumente, beruhigte sich wieder.

»Reflexe noch in Ordnung«, sagte er.

»Was ist passiert?«

»Sie haben es geschafft. Sie haben ein Ding gebaut wie ich. Mein eigener Apparat ist zu einer Hypermasse zusammengebrochen, und die Hypermasse hat sich das Kabel entlanggefressen. Wenn ich es nicht rechtzeitig abgesprengt hätte, wäre sie zur Waffenkapsel gelangt, und die freigesetzte Energie hätte uns getötet.« Brennan klappte die Konsole auf und betätigte Steuerelemente. »Jetzt müssen wir vor ihnen zum Neutronenstern. Wenn sie die Verzögerung beibehalten, schaffen wir es.«

»Was werden sie uns in der Zwischenzeit offerieren?«

»Ganz sicher Laser. Sie brauchen ohnehin schwere Laseranlagen für die Verständigung mit den Hauptflotten. Ich mache das Twing undurchsichtig.« Er tat es. Nun saßen sie in einer grauen Schale, und die Spähschiffe zeigten sich nur noch auf dem Teleskopschirm. »Abgesehen davon – wir sind alle übel dran mit den Bombenwürfen. Wir verzögern alle. Mit meinen Raketen war es, als wolle man bergauf; bei dieser Entfernung konnten sie sie nicht erreichen. Mich erreichen sie, aber ihre Bomben haben die falsche Richtung. Sie fliegen direkt von hinten durch das Staustrahlfeld.«

»Gut.«

»Klar. Außer, sie zielen so gut, daß sie das Schiff selbst treffen. Wir werden ja sehen.«


Die Laser kamen als zwei Strahlen blendend grünen Lichts, und ›Protektor‹ war achtern blind. Ein Teil der Außenhaut schmolz ab. Die Haut darunter spiegelte.

»Das tut uns nicht weh, bis sie wesentlich näher kommen«, sagte Brennan. Aber er machte sich Sorgen wegen der Raketen und begann Haken zu schlagen. Das Leben wurde unbequem an Bord.

Ein Haufen kleiner Massen näherte sich. Brennan öffnete das Staustrahlfeld weit, und sie beobachteten die Explosionen vergleichsweise gemütlich, obwohl einige das Schiff erschütterten. Roy wurde von dem immer stärker werdenden Gefühl beunruhigt, daß Brennan und die Pak-Protektoren ein kompliziertes Spiel spielten, dessen Regeln sie beide genau verstanden: ein Spiel wie die von den Computern ausgelegten Kriegsspiele.

Brennan hatte gewußt, daß er die ersten Schiffe vernichten würde, daß die anderen seinen Schwerkraftapparat zerstören würden, daß sie bei Kursanpassung für ein richtiges Duell zu langsam werden mußten, um ihn einzuholen, bis sie den Neutronenstern vor sich entdeckten . . .

Einen Tag vor dem Erreichen des Neutronensterns erlosch einer der grünen Laserstrahlen.

»Jetzt haben sie ihn endlich gesehen«, sagte Brennan. »Sie richten sich auf Angriff ein. Sonst könnten sie in entgegengesetzten Richtungen davongeschleudert werden.«

»Sie sind sehr nah«, sagte Roy. Sie waren es, relativ gesehen: vier Lichtstunden hinter ›Protektor‹, näher als Pluto der Sonne. »Und viel können Sie nicht ausweichen, um den Kurs am Stern vorbei nicht zu gefährden, wie?«

»Lassen Sie mich mal machen«, brummte Brennan, und Roy verstummte.

Der Schub sank auf 0,5 G. ›Protektor‹ flog nach links, und die Lebenssystem-Kapsel schwang am Kabel hin und her.

Dann schaltete Brennan das Staustrahlfeld ganz ab.

»Es gibt eine kleine Gashülle«, sagte er. »Stören Sie mich jetzt nicht.«

›Protektor‹ befand sich im freien Fall, eine klare Zielscheibe.

Acht Stunden später kamen Raketen. Die Späher mußten sie sofort abgefeuert haben, als sie das funkelnde Feld erlöschen sahen. Brennan wich mit dem Kapselantrieb aus.

»Er hat sein Feld abgeschaltet«, sagte er nach einiger Zeit. »Seinen Laser muß er auch abschalten, wenn er keine Batterieenergie mehr hat.« Zum erstenmal seit Stunden sah er Roy an. »Legen Sie sich hin. Sie sind ja halb tot. Wie geht es Ihnen, wenn wir den Stern umfliegen?«

»Da bin ich ganz tot.« Roy seufzte. »Wecken Sie mich, wenn er uns trifft, ja? Ich möchte mir nichts entgehen lassen.«

Brennan antwortete nicht.


Drei Stunden vorher war der Neutronenstern noch immer unsichtbar vor ihnen.

»Fertig?« sagte Brennan.

»Fertig.« Roy trug seinen Druckanzug und schwebte an der Luftschleuse.

»Los.«

Roy stieß sich ab. Durch die Schleuse konnte immer nur einer. Er war an der Arbeit, als Brennan herauskam. Brennan hatte knapp kalkuliert, um die Zeit, in der sie der Strahlung des Neutronensterns ausgesetzt waren, möglichst gering zu halten.

Sie lösten das zum Antrieb führende Kabel, zogen den Antriebsabschnitt nah heran und spulten das Kabel auf. Es war dick und schwer. Sie verstauten es am Heck des Antriebs.

Dasselbe machten sie mit dem Kabel der Waffenkapsel. Roy arbeitete angestrengt. Er war sich der Strahlung aus der dünnen Gashülle des Neutronensterns durchaus bewußt. Dies war Krieg ... aber etwas fehlte. Er konnte die Pak nicht hassen. Er verstand sie nicht gut genug. Wenn Brennan sie hätte hassen können, wäre es leichter gewesen, aber Brennan haßte sie nicht. Egal, daß er von Krieg sprach. In Wirklichkeit pokerte er um höchste Einsätze.

Nun schwebten die drei Hauptabschnitte von ›Protektor‹ direkt hintereinander. Roy betrat das Frachtschiff aus dem Gürtel zum erstenmal seit Jahren. Als er sich an die Steuerung setzte, flutete grünes Licht durch die Kabine. Er ließ sofort die Sonnenabschirmung herunter.

Brennan kam durch die Luftschleuse herein und schrie: »Hereingelegt, die Burschen! Wenn sie das vor einer halben Stunde gemacht hätten, wären wir erledigt!«

»Ich dachte, sie haben ihre Batterien verbraucht.«

»Nein, das wäre dumm gewesen, aber sie müssen ziemlich ausgelaugt sein. Sie dachten, ich würde bis zur letzten Sekunde warten, bevor ich die Schiffe auseinandernehme. Sie wissen noch immer nicht, was ich bin!« triumphierte er. »Und sie wissen nicht, daß ich Hilfe habe. Gut, wir haben noch eine Stunde, bis wir hinausmüssen. Los.«

Roy lenkte das Gürtel-Schiff mit den Zusatzdüsen an die vierte Stelle in der Reihe, hinter die Waffenkapsel. Durch die Sonnenabschirmung strahlten die Teile des ›Protektor‹ grün wie die Hölle. Sie trieben bereits auseinander.

»Hat der Stern schon einen Namen?« fragte Roy.

»Nein.«

»Sie haben ihn entdeckt. Sie dürfen ihn taufen.«

»Dann nenne ich ihn Phssthpoks Stern. Ich glaube, das sind wir ihm schuldig.«

*NAME: Phssthpoks Stern. Später umbenannt: BVS-1, vom Institut für Wissen auf Jinx.*

*KLASSIFIZIERUNG: Neutronenstern.*

*MASSE: 1,3 Sol.*

*ZUSAMMENSETZUNG: Elf Meilen Durchmesser Neutronium, darüber eine halbe Meile kollabierte Materie, darüber etwa vier Meter normale Materie.*

*OBERFLÄCHENSCHWERKRAFT: 1,7 × 10³¹ G nach Erdmaßstab.*

*BEMERKUNGEN: Erster nichtstrahlender Neutronenstern, der je entdeckt wurde. Atypisch im Vergleich zu vielen bekannten Pulsaren; aber Sterne von Typ BVS wären im Gegensatz zu Pulsaren schwer zu finden. BVS = 1 mag als Pulsar begonnen haben, mit strahlender Gashülle, vor hundert Millionen bis zu einer Milliarde Jahre, um der Gashülle dann die Rotation mitzuteilen und sie dabei zu zerstreuen.*

Sie flogen verdammt schnell am Phssthpoks Stern vorbei.

Die vier Abschnitte von ›Protektor‹ stürzten jeder für sich. Selbst das Pak-Kabel hätte sie nicht zusammengehalten. Schlimmer: Die Gezeitenwirkung hätte die Abschnitte nach dem Massezentrum des Sterns ausgerichtet, und sie wären mit zerrissenem Kabel in völlig verschiedene Bahnen geraten.

So konnte das selbstgesteuerte Frachtschiff nach dem Perihel dazu verwendet werden, die anderen Abschnitte wieder anzuhängen. Aber er und Brennan konnten das nicht hier überstehen. Die Kabine des Gürtel-Schiffs war im Bug, viel zu weit vom Massezentrum entfernt.

»Los«, sagte Brennan.

Roy löste die Gurte und schob sich mühsam in die Schleuse. Der Rumpf war glatt, ohne Haltegriffe. Hier konnte er nicht warten. Er ließ sich fallen. Das Schiff schwebte davon. Er sah eine kleine Gestalt in der Schleuse, dann vier winzige Blitze. Brennan hatte ein Energiegewehr. Er schoß auf die Pak.

Roy spürte jetzt die Gezeiten, ein Ziehen im Körper. Seine Füße zielten auf den roten Punkt.

Brennan war ihm nachgesprungen und setzte seine Rückstoß-düsen ein.

Die Anziehungskraft wurde stärker. Sanfte Hände an Kopf und Füßen versuchten, ihn auseinanderzureißen. Der rote Punkt wurde gelb und grell und schoß ihm wie ein Feuerball entgegen.

Er dachte eine gute Stunde nach, so stark hatte Brennan ihn ein-geschüchtert. Er überlegte hin und her und sagte Brennan end-lich, daß er verrückt sei.

Sie waren mit einer drei Meter langen Leine verbunden. Die Leine war straff, obwohl der Neutronenstern hinter ihnen zu einem winzigen roten Punkt geschrumpft war. Und Brennan hatte die Waffe noch.

»Ich zweifle nicht an Ihrer Ansicht«, sagte Brennan. »Aber was für ein Symptom hat den Ausschlag gegeben?«

»Die Waffe. Warum haben Sie auf das Pak-Schiff geschos-sen?«

»Es muß demoliert werden.«

»Aber Sie konnten doch nicht treffen. Sie haben genau dar-auf gezielt, das habe ich gesehen. Die Schwerkraft des Sterns muß die Geschosse abgelenkt haben.«

»Denken Sie nach. Wenn ich wirklich den Verstand verloren habe, sind Sie berechtigt, das Kommando zu übernehmen.«

»Nicht unbedingt. Manchmal ist verrückt besser als dumm. Ich befürchte nur, daß es vernünftig war, auf das Pak-Schiff zu schießen. Früher oder später erscheint alles vernünftig, was Sie tun. Wenn das vernünftig war, gebe ich auf.«

Brennan suchte mit dem Fernglas nach dem Frachtschiff.

»Tun Sie's nicht. Behandeln Sie das Problem als Rätsel. Warum habe ich auf ein Pak-Schiff geschossen, wenn ich nicht verrückt bin?«

»Verdammt noch mal, die Mündungsgeschwindigkeit reicht doch nie . . . Wieviel Zeit habe ich noch?«

»Zwei Stunden und fünfzig Minuten.«

»O-o-h.«

Sie waren wieder an Bord des isolierten Lebenssystems von ›Protektor‹, beobachteten den Rundum-Bildschirm und – in Brennans Fall – nebenher noch ein paar Dutzend Instrumente. Das zweite Pak-Team stürzte in vier Abschnitten auf die Miniatur-Sonne zu: ein Antriebsabschnitt wie eine zweischneidige Axt, dann ein flacher, runder Lebenssystem-Abschnitt, dann eine Lücke von mehreren hundert Meilen, dann ein viel größerer Antriebsabschnitt und wieder ein flacher, runder Teil. Die erste Steuerkapsel überschritt eben das Perihel, als der Neutronenstern aufflammte.

Einen Augenblick zuvor hatte die Vergrößerung ihn als stumpf rotschimmernde Kugel gezeigt. Jetzt erschien auf der Oberfläche ein kleiner, blau-weißer Stern. Der weiße Punkt dehnte sich aus, wurde trüber. Brennans Zeiger und Zähler begannen zu zucken und zu schnattern.

»Das müßte ihn umbringen«, sagte Brennan zufrieden. »Die Pak-Piloten sind vermutlich ohnehin nicht sehr gesund; sie müssen allerhand Strahlung aufgenommen haben, über einunddreißigtausend Lichtjahre hinter einem Bussard-Staustrahlfeld.«

»Ich nehme an, das war ein Geschoß?«

»Ja. Mit Stahlmantel. Und wir bewegen uns entgegen der Drehung des Sterns. Ich habe das Geschoß so verlangsamt, daß es vom Magnetfeld erfaßt und weiter verlangsamt wurde, bis es auf der Oberfläche des Sterns auftraf. Es gab ein paar Unsicherheiten. Ich war nicht sicher, wann es auftreffen würde.«

»Sehr riskant, Captain.«

»Das nachfolgende Schiff ist sicher auch dahintergekommen, kann aber nichts tun.« Der Strahlungsausbruch war jetzt als zitronengelber Fleck quer über einer Flanke von Phssthpoks Stern zu sehen. Plötzlich glomm am Rand ein zweiter weißer Punkt auf. »Selbst wenn sie rechtzeitig dahintergekommen sein sollten, konnten sie nicht wissen, ob ich es schaffen würde. Und es gibt nur ein Kursfenster, durch das sie mir folgen können.

Entweder habe ich etwas fallen lassen oder nicht. Mal sehen, was das letzte Paar macht.«

»Setzen wir ›Protektor‹ wieder zusammen. Da vorne muß der Antriebsabschnitt sein.«

»Richtig.«

Sie arbeiteten stundenlang. ›Protektor‹ war ziemlich weit über den Himmel verstreut.

Einmal verfolgten sie Ereignisse, die eine Stunde zurücklagen: das dritte Paar der Pak-Schiffe schloß sich hastig wieder zusammen und verwendete dann kostbaren Reservetreibstoff, um sich vom Stern zu entfernen.

»Dachte ich mir«, brummte Brennan. »Sie wissen nicht, was für eine Art Waffe ich habe, und sie können sich ihren Untergang jetzt nicht mehr leisten. Sie sind die letzten. Und das bringt sie auf einen Kurs, der sie schnell von uns wegführt. Wir sind mindestens ein halbes Jahr vorher auf Heimat.«

Roy Truesdale war neununddreißig Jahre alt, als er und Brennan Phssthpoks Stern umrundeten. Er war dreiundvierzig, als sie vor dem System Epsilon Indi die Geschwindigkeit herabsetzten.

Unterwegs hatte er manchmal geglaubt, wahnsinnig zu werden, hatte Brennan dafür verflucht, daß alle Radonbomben verbraucht waren, daß Brennan ihn überhaupt mitgenommen hatte. Bei voller Beschleunigung hätte ›Protektor‹ dem zweiten und dritten Paar der Pak-Schiffe entkommen können, ohne kämpfen zu müssen. Aber drei G hätten Roy Truesdale zu Schaden bringen können.

Bei den Kämpfen war Roy nicht von großem Nutzen gewesen. Hatte Brennan ihn wirklich nur zur Gesellschaft mitgenommen? Oder als eine Art Maskottchen? Oder – er spielte mit einer anderen Idee. Eine von Brennans Töchtern hatte Estelle geheißen, nicht? Vielleicht hatte sie den Namen an ihre Tochter weitergegeben. Estelle Randall.

Ein böser Gedanke, daß er nur mitgenommen worden war, weil er ein direkter Nachkomme des Protektors war, die lebendige Mahnung für das, wofür Brennan kämpfte. Weil er richtig roch. Roy fragte ihn nicht. Er wollte es gar nicht wissen.

Immer wieder fragte er sich, was Brennan auf Heimat eigentlich vorhatte.

Die Pak-Späher waren bei der Umrundung des Neutronensterns weit abgekommen, aber jetzt zielte ihr Wenderadius wieder auf Heimat, aber ihre Beschleunigung von 5,5 G konnte die verlorene Zeit nicht ausgleichen. Was ›Protektor‹ anging, waren sie aus dem Rennen. Und Heimat würde zehn Monate Zeit haben, sich auf ihre Ankunft vorzubereiten.

Ein friedliches Volk ließ sich nicht so leicht zur Totalverteidigung überreden. Man brauchte Zeit, um Fabriken auf Waffenproduktion umzustellen. Welche Bedrohung stellte ein Paar Pak-Spähschiffe eigentlich dar?

»Ich bin sicher, daß sie einen Planeten zerstören können«, meinte Brennan, als Roy das Thema zur Sprache brachte. »Ein Planet ist eine große Zielscheibe, Umweltsysteme sind empfindlich und können nicht ausweichen. Abgesehen davon sind die Pak-Spähschiffe wohl eigens für die Zerstörung von Planeten eingerichtet. Was nützen sie, wenn sie das nicht können?«

»Wir haben nicht einmal ein Jahr Zeit, um uns vorzubereiten.«

»Zerbrechen Sie sich nicht den Kopf. Das ist lang genug. Heimat hat schon Nachrichtenlaser, mit der man die Erde erreichen kann. Das verrät Genauigkeit und große Leistung. Wir verwenden sie als Geschütze. Und ich habe Pläne für Schwerkraftwaffen.«

»Aber wird man sie bauen? Das sind friedliche Leute in einer stabilen Gesellschaft!«

»Wir überreden sie schon dazu.«

Eines Tages schien es Roy, als sehe er die Lösung.

Es war ein schrecklicher Gedanke. Er erwähnte ihn Brennan gegenüber nicht. Er fürchtete um seinen eigenen Verstand. Er trainierte viel, wurde zu einem Muskelberg, daß er manchmal vor sich selbst erschrak.

»Bringen Sie mir bei, gegen Pak zu kämpfen«, sagte er einmal zu Brennan.

»Geht nicht.«

»Vielleicht ergibt sich die Gelegenheit. Wenn ein Pak jemals einen Fortpflanzer als Gefangenen –«

»Also gut, kommen Sie mit. Ich zeige es Ihnen.«

Sie räumten den Turnraum aus und kämpften. In einer halben Stunde ›tötete‹ Brennan ihn an die dreißigmal, wobei er die Karatehiebe nur andeutete. Dann ließ er Roy ein paarmal zuschlagen. Roy teilte tödliche Schläge mit einer bösartigen Begeisterung aus, die Brennan aufschlußreich erscheinen mußte. Brennan räumte sogar ein, daß sie schmerzten. Aber Roy war überzeugt.

Trotzdem gehörten diese Kämpfe danach zu ihrem Programm.

Es gab alle möglichen Methoden, die Zeit zu vertreiben. Und die Zeit verging. Manchmal quälte sie sich mühsam dahin, aber immer verging sie.

Im System Epsilon Indi gab es eine jupitergroße Masse. Godzilla, Epsilon Indi V, lag außerhalb der ›Protektor‹-Bahn, aber Brennan änderte den Kurs ein wenig, um Roy etwas Einmaliges zu zeigen.

Sie glitten an einer funkelnden, durchscheinenden Kugel aus Eiskristallen vorbei. Es war Godzillas trojanischer Punkt, und er sah aus wie ein riesiger Christbaumschmuck, aber für Roy war es ein Willkommensgruß, und er begann zu glauben, daß sie es doch schaffen würden.

Zwei Tage später, bei nur noch tausend Meilen in der Sekunde, leistete das Staustrahlfeld nichts Nennenswertes mehr, und Brennan schaltete es ab.

»In zweiundvierzig Stunden sind wir da«, sagte er. »Wir haben Treibstoff genug, und außerdem habe ich das Gefühl, daß Sie schnell hinuntermöchten.«

Roy grinste. Er hatte Heimat auf dem Teleskopbildschirm. Heimat sah aus wie die Erde: dunkelblau, übergossen mit weißen Wolkenstreifen, die Umrisse der Kontinente beinahe unsichtbar. Seine Kehle schnürte sich zu.

»Hören Sie«, sagte er, »warten wir auf die Fährraketen, oder landen wir einfach?«

»Ich wollte ›Protektor‹ in eine ferne Umlaufbahn bringen und mit dem Frachtschiff hinunterfliegen. Vielleicht haben die Leute hier keine Frachtschiffe.«

»Gut. Bevor Sie den Systemantrieb einschalten, könnte ich zum Frachtschiff hinübergehen und einen Countdown ablaufen lassen, nicht?«

Brennan sah ihn einen Augenblick an und sagte dann: »Gut. Das spart uns Zeit. Melden Sie sich, wenn Sie an Bord sind.«

Heimat war schon mit bloßem Auge sichtbar, ein weißer Stern, nicht weit von der Sonne. Roy ging an Bord, zog den Anzug aus, setzte sich an die Konsole und rief Brennan. Kurze Zeit später hatte ›Protektor‹ wieder Schub und flog mit 1 Heimat-G auf Heimat zu.

Roy prüfte alle Anlagen. Fahrwerk gab es keines. Er würde in einem Hafen landen. Das Schiff konnte auch schwimmen.

Er arbeitete zwölf Stunden, dann machte er Pause. Inzwischen würde Brennan die Raumflugkontrolle verständigt haben. In weiteren zwölf Stunden . . .

Er erwachte im trüben Licht und erinnerte sich an seinen Verdacht. Er ging noch einmal alles durch . . . um zu sehen, wie lächerlich sein Argwohn gegen Brennan war. Er hatte immerhin leichte Wahnvorstellungen gehabt. Man konnte einfach nicht sechs Jahre mit einem nicht ganz menschlichen Wesen zusammengesperrt leben, ohne etwas davonzutragen.

Er ging seine Überlegungen wieder durch und sah ihre Logik. Der Gedanke war noch immer entsetzlich, aber er fand keinen logischen Makel.

Das störte ihn.

Und er wußte immer noch nicht, was Brennan mit Heimat vorhatte.

Er stand auf und ging hin und her. Idiot! Wenn er recht hatte – aber er konnte nicht recht haben.

Er rief Brennan. Lieber ganz offen reden –

»Hier alles okay«, sagte Brennan. »Wie steht es bei Ihnen?«

»Alles klar.«

»Gut.«

»Brennan, mir ist da neulich etwas eingefallen. Ich habe nicht davon gesprochen –«

»Etwa vor zweieinhalb Jahren? Ich dachte mir, daß Sie etwas bedrückt – außer dem Fehlen eines Harems.«

»Vielleicht bin ich verrückt«, sagte Roy. »Vielleicht war ich es damals auch. Mir ist eingefallen, daß es Ihnen viel leichter fallen würde, die Bevölkerung von Heimat zum Krieg zu überreden, wenn Sie vorher –« Er brachte es beinahe nicht heraus. Aber Brennan *hatte* natürlich daran gedacht. »Wenn Sie vorher überall auf dem Planeten den Baum des Lebens pflanzen.«

»Das wäre nicht nett.«

»Allerdings nicht. Aber würden Sie mir bitte erklären, warum das nicht logisch ist?«

»Es ist nicht logisch«, sagte Brennan. »Das Wachstum würde zu lange dauern.«

»Ja«, sagte Roy mit einem Seufzer der Erleichterung. Dann: »Ja, aber Sie haben mich nicht in den Hydroponik-Garten gelassen, damit der Virus mir nichts anhaben kann, nicht?«

»Nein, weil der Geruch Sie sonst verleitet hätte, etwas zu essen.«

»Und genauso im Garten auf Kobold.«

»Richtig.«

»Der Garten, durch den Alice und ich gewandert sind, ohne etwas zu riechen.«

»Sie sind älter geworden, Sie Narr!« Brennan verlor die Geduld.

»Ja, gewiß. Verzeihung, Brennan. Ich hätte mir das alles selbst –« *Brennan verlor die Geduld? Brennan?* Und: »Verdammt, Brennan, ich war nur einen Monat älter, als Sie sagten, ich dürfe den Hydroponik-Garten im ›Fliegenden Holländer‹ nie betreten!«

»Sie können mich«, sagte Brennan und schaltete ab.

Roy lehnte sich deprimiert zurück. Was immer er auch sonst sein mochte, Brennan war ein Freund und Verbündeter gewesen. Jetzt –

Jetzt fegte ›Protektor‹ schlagartig unter 3 G Beschleunigung dahin. Roy wurde in den Sessel gepreßt und riß den Mund auf. Dann griff er mit der ganzen Kraft seines massiv-muskulösen Arms zur Steuerung und fand einen roten Knopf.

Er war mit einem Sicherheitsschloß versehen. Der Schlüssel steckte in seiner Tasche. Roy kramte danach und fluchte halblaut vor sich hin. Brennan wollte ihn bewegungsunfähig machen. Es würde nicht klappen. Er hob den Arm gegen drei G, öffnete das Schloß, drückte den Knopf.

Das Kabel, das ihn mit ›Protektor‹ verband, wurde abgesprengt. Er fiel hinab.

Er brauchte eine ganze Minute, um Schub zu erhalten. Er wendete um neunzig Grad. Den kleineren Wendekreis eines Frachtschiffs konnte ›Protektor‹ nicht nachvollziehen. Durch das Bullauge sah er die Antriebsflamme des großen Schiffes seitwärts gleiten.

Er sah sie erlöschen.

Warum hatte Brennan den Antrieb abgeschaltet?

Egal. Nächster Schritt: der Nachrichtenlaser, Heimat warnen. Angenommen, er hatte recht ... aber er wagte nun gar nichts mehr anzunehmen. Brennan konnte sich später rechtfertigen, sich Raumfahrern von Heimat stellen, nur mit einem durchsichtigen Druckanzug bekleidet, um ihnen zu sagen, wie Roy plötzlich übergeschnappt sei. Vielleicht stimmte das sogar.

Er drehte den Laser. Er kannte die richtige Stelle auf dem Planeten, die er erreichen mußte. Was würde Brennan jetzt tun? Was konnte er tun? Es gab kaum freien Willen bei einem Protektor. Er würde Roy Truesdale töten.

Roy hetzte in die Schleuse, riß eine Laserwaffe an sich, sprang zurück, bevor sich die Tür schließen konnte.

›Protektor‹ hatte sich nicht bewegt.

Aber wenn Brennan nicht an Bord seines Schiffes war ...

Dann mußte er versuchen, die Situation und Roy Truesdale zu retten. Dazu mußte er ins Frachtschiff kommen. Eine Tat unfaßbaren Heroismus'... aber Roy traute sie ihm zu. Was war für Brennan unmöglich? Roy umklammerte die Laserwaffe und wartete darauf, daß sich die Innentür der Schleuse schloß.

Er bekam seine Antwort im Brausen und Blitzen hinter sich. Mit einem pfeifenden Kreischen der Atemluft kam das Brennan-Ungeheuer durch die Rumpfseite der Kabinentoilette, durch die Toilettentür und schloß sie hinter sich. Die Tür war nicht aus Rumpfmaterial; sie bog sich unter dem Druck, aber sie hielt.

Roy hob die Waffe.

Brennan schleuderte etwas. Es kam zu schnell, um sichtbar zu sein, und traf Roy am rechten Oberarm. Der Knochen zersplitterte wie Kristall. Roy wurde halb herumgerissen, die Laserpistole prallte von der Wand zurück. Er fing sie mit der linken Hand auf und drehte sich ganz herum.

Brennan stand da wie ein Baseball-Werfer. Er hatte eine Schmierscheibe aus Weichkohle in der Hand, wie einen Diskus.

Roy umklammerte die Waffe. Warum warf Brennan nicht? Jetzt hatte er den Abzug erreicht. *Warum warf Brennan nicht?* Er drückte ab.

Brennan sprang zur Seite, unglaublich schnell, aber nicht so schnell wie das Licht. Roy verfolgte ihn mit dem Strahl. Er kreuzte Brennans Körper knapp unterhalb der Taille.

Brennan stürzte, in zwei Hälften zerteilt.

Sein Arm schmerzte überhaupt nicht, aber das Geräusch von Brennans Sturz schien Roys Eingeweide zu zerquetschen. Er blickte auf seinen Arm, der angeschwollen und blutend herabhing. Er richtete den Blick auf Brennan.

Was von Brennan übriggeblieben war, erhob sich auf den Händen und kam auf ihn zu.

Roy sackte an die Wand. Die Kabine drehte sich um ihn. Der Schock. Er lächelte, als Brennan herankam.

»Touché, Monsieur«, sagte er.

»Du bist verletzt«, sagte Brennan.

Alles wurde farblos und grau. Roy nahm wahr, daß Brennan sein Hemd zerriß, um den Arm unter der Schulter abzubinden. Brennan sprach mit monotoner Stimme, ob Roy ihn hörte oder nicht.

»Ich hätte dich umbringen können, wenn du nicht ein Verwandter wärst. Dumm, so dumm. Die Decke soll dir auf den

Kopf fallen, Roy. Roy, hör zu, zu mußt leben. Sie glauben vielleicht nicht, was im Computer ist. Roy? Verdammt, hör zu!«

Roy wurde ohnmächtig.

Im Folgenden war er meist im Delirium. Es gelang ihm, das
Frachtschiff nach Heimat zurückzulenken, aber er geriet in eine
Fluchtbahn. Die Schiffe, die ihn verfolgten, holten ihn ein und
retteten ihn und Brennans Leiche und den Computer von ›Protektor‹. Das Schiff selbst mußten sie aufgeben.

Die Verletzung am Arm schien seinen Komazustand ausreichend zu erklären. Es dauerte einige Zeit, bis man dahinterkam,
daß ihm noch etwas anderes fehlte. Inzwischen hatten ihn zwei
von den Piloten hinuntergebracht.


PROTEKTOR

*Ein Huhn ist der Weg eines Eis, ein anderes Ei zu erzeugen.*
Samuel Butler.


Jeder menschliche Protektor muß so erwachen. Ein Pak erwacht zum erstenmal wissend. Ein menschlicher Protektor hat
menschliche Erinnerungen. Er erwacht klaren Geistes und erinnert sich und denkt mit einer gewissen Verlegenheit: *Ich bin
dumm gewesen.*

Weißgestrichene Decke, saubere Laken auf weicher Matratze.
Verschiebbare Pastellwände auf beiden Seiten. Fenster vor mir;
Blick auf kleine, gekrümmte Bäume auf dürrer Wiese, alles in
Sonnenschein, der für die Erde etwas orangerot wirkt. Primi-
tive Einrichtungen und viel Platz: Ich war in einem Kranken-
haus von Heimat und bin dumm gewesen. Wenn Brennan mir
nur – aber er hätte mir gar nichts zu sagen brauchen. So nah an
Heimat hatte er sich natürlich infiziert. Im Notfall brauchte er
nur dafür zu sorgen, daß er oder seine Leiche Heimat erreichten. Und mich steckte er auch an: aus demselben Grund.

Er hatte mir fast alles mitgeteilt. Was er wirklich gesucht
hatte, dort draußen am Rand des Sonnensystems, war eine
Variante des Virus vom Baum des Lebens, die in einem Apfel

oder Granatapfel oder dergleichen gedieh. Bekommen hatte er eine Variante, die in einer mit Thalliumoxyd gezüchteten Süßkartoffel gedieh. Aber irgendwann dazwischen hatte er eine Variante gefunden oder erschaffen, die in einem Menschen gedieh.

Das hatte er auf Heimat ansäen wollen.

Ein gemeiner Trick gegenüber einer wehrlosen Kolonie. Ein solcher Virus würde sich kaum an die Altersgrenze halten. Er würde jeden töten, der – weit gezogen – nicht zwischen Vierzig und Sechzig war.

Heimat wäre eine Welt kinderloser Protektoren geworden, und Brennan hätte seine Armee gehabt.

Ich stand auf und erschreckte eine Krankenschwester hinter der Kunststoffwand.

Wir waren mit unserer Infektion isoliert. Zwei Reihen Betten, auf jedem ein halbverwandelter Protektor mit Anzeichen des Verhungerns.

Wahrscheinlich befanden sich alle Proto-Protektoren von Heimat in diesem Saal. Sechsundzwanzig an der Zahl.

Was nun?

Ich überlegte, während die Schwester einen Arzt holte und dieser einen Druckanzug anlegte.

Eine blonde junge Frau kam durch eine Notschleuse herein. Ich erschreckte sie durch meine Häßlichkeit und Beweglichkeit. Sie versuchte höflich, es zu verbergen.

»Wir brauchen Essen«, sagte ich. »Wir alle. Ich wäre schon tot, wenn ich nicht überflüssiges Muskelgewicht gehabt hätte.«

Sie nickte und sprach per Mikrofon mit der Schwester.

Sie untersuchte mich und geriet durcheinander. Nach allen Regeln der Medizin hätte ich tot oder ein Arthritiskrüppel sein müssen. Ich machte ein wenig Gymnastik, um ihr zu zeigen, daß ich gesund war, hielt mich aber zurück, um nicht zu verraten, wie gesund.

»Wir werden nochmal leben können, wenn die Infektion abgeklungen ist«, sagte ich. »Nur unser Aussehen ist verändert.«

Sie wurde rot.

»Kommt diese Krankheit von der Erde?« fragte sie.

»Nein, zum Glück vom Gürtel. Wir dachten schon, sie sei ausgestorben.«

»Hoffentlich können Sie uns mehr sagen. Wir haben keinen von Ihnen heilen können. Alles, was wir versucht haben, machte die Sache nur noch schlimmer, sogar Antibiotika! Drei von Ihnen haben wir verloren.«

»Gut, daß Sie aufgehört haben, bevor Sie bei mir waren.«

Das fand sie gefühllos. Wenn sie nur geahnt hätte, worum es ging.

Ich war der einzige Mensch auf Heimat, der das Wort ›Pak‹ auch nur gehört hatte.

In den folgenden Tagen fütterte ich die anderen Patienten, die freiwillig nicht aßen; in normaler Nahrung schmeckte man die Wurzel vom Baum des Lebens nicht. Sie waren alle dem Tod nah.

Brennan hatte gewußt, was er tat, als er mich zum Muskelberg hatte werden lassen.

Inzwischen informierte ich mich über die Industrie auf Heimat. Ich hörte mir die Bänder der Klinikbibliothek an. Ich entwarf Abwehrmaßnahmen gegen einen Pak-Angriff mit vermutlich zwei Millionen Fortpflanzern – wir würden eine Diktatur errichten müssen, für etwas anderes blieb einfach keine Zeit, und so würden wir einen Teil der Bevölkerung verlieren – und genau sechsundzwanzig Protektoren. Sechsundzwanzig genügten nicht.

Als die anderen Patienten wach wurden, weihte ich sie ein. Sie wußten mehr über Heimat. Ich wartete. Die Pak-Späher waren neun Monate entfernt.

Meine Kollegen würden Lösungen finden. Nach sechs Tagen wurden sie richtig wach. Vierundzwanzig von uns. Die Doktores Martin und Cowles waren angesteckt worden; sie befanden sich noch in der Verwandlung.

Es war wunderbar, mit Männern sprechen zu können, die soviel wußten wie ich. Armer Brennan. Während ich zu ihnen sprach, gingen sie herum und testeten ihre Muskeln und ihre neuen Körper.

Wir diskutierten.

Wir mußten herausfinden, ob Brennan die Sichtung der Pak-Flotte und die Pak-Späher erfunden haben konnte. Wir hatten Glück.

Len Bester war Fusionsantriebstechniker; er konnte einen Schwerkraftgenerator bauen.

Wir beschlossen, Brennans Schwerkraftteleskop und die Pak-Flotte zu akzeptieren.

Wir machten unsere Pläne.

Wir fetzten durch die Plastik-Schleuse und schwärmten aus durch die Klinik. Es war alles vorbei, bis das Personal begriff. Wir sperrten sie ein, bis der Virus vom Baum des Lebens sie in Schlaf versetzte. Viele wollten weiter ihre Patienten pflegen. Das ließen wir zu, aber wir mußten alle Medikamente vernichten.

Die Polizei von Clayton umzingelte die Klinik, aber inzwischen konnten wir davon ausgehen, daß alle Insassen angesteckt waren. In der Nacht verstreuten wir uns.

In den folgenden Tagen überfielen wir Krankenhäuser, Apotheken, die einzige Arzneimittelfabrik. Wir zerstörten Fernsehstationen, um die Verbreitung von Nachrichten zu verlangsamen. Die Leute würden in Panik geraten, wenn sie von einer neuen Krankheit erfuhren, die alle Opfer um den Verstand brachte und sich intelligent ausbreitete. Die Wahrheit würde ihnen nicht weniger entsetzlich erscheinen.

Wir fanden Panik genug. Die Bevölkerung von Heimat bekämpfte uns wie sämtliche Teufel aus der Hölle. Zehn von uns kamen um, in einer Falle, und gezwungen, potentielle Protektoren zu schonen.

Und sechs von uns wurden erwischt, als sie ihre Familien retten wollten und sie mit Druckanzügen oder Druckzelten ausrüsteten, um den Virus fernzuhalten. Es war nicht notwendig, sie zu töten. Wir sperrten sie ein, bis die fraglichen Fortpflanzer tot oder im Übergangsstadium waren.

Nach einer Woche war es vorbei.

Nach drei Wochen wachten sie auf.

Wir begannen mit der Abwehr.

*

Es ist nur vernünftig erschienen, diesen Bericht in Romanform vorzulegen. So vieles ist Vermutung. Ich habe Lucas Garner, Nick Sohl, Phssthpok, Einar Nilsson und viele andere nicht gekannt. Truesdale darf man als lebenswahr unterstellen, der Theorie nach, daß ich nicht ohne Grund lüge. Das Übrige ist wohl genau genug.

Trotzdem, Brennan hat es als erster gesagt: Ich bin nicht sicher, ob mir mein Geburtsname noch zusteht. Roy Truesdale war jemand anderer. Roy Truesdale wäre gestorben und hätte nichts anderes erwartet, um zu verhindern, was ich mit Heimat gemacht habe.

Wir haben gute Gründe dafür, das nicht in den von Menschen beherrschten Raum auszustrahlen, jetzt noch nicht. Brennan hatte recht: die Existenz von Protektoren würde die Entwicklung der menschlichen Zivilisation verändern. Besser, man stellt sich Heimat als gescheiterte Kolonie vor, durch eine Seuche ausgerottet. Sollte die Seuche andere Forscher erfassen, nun, dann sterben sie entweder im Übergang oder sie erwachen als Protektoren, sehen sich um und kommen zu denselben Schlüssen wie wir. Für einen Protektor gibt es kaum freien Willen.

Aber die Pak-Flotte bleibt vor uns, auch wenn die Pak-Späher fort sind. Das hat übrigens Spaß gemacht. Wir haben auf ganz Heimat Pseudostädte aufgebaut, nur lichter und Straßen und Fusionsquellen als Ersatz für Energiekraftwerke. Die Pak kamen nie auf den Gedanken, daß wir Heimat einfach aufgeben würden. Es ist fast sicher, daß wir diese Flotte vernichten können, aber wie viele sind ihr gefolgt? Sind die Schiffe der zweiten Flotte verbessert? Wenn wir so lange überleben, müssen wir ihrer Spur folgen bis in die Explosion des galaktischen Kerns. Wenn wir die eine oder andere Schlacht verlieren – nun, dann wird irgendein Überlebender alles an sämtliche Welten im Menschheitsbereich übermitteln.

Und dann:

Brennan muß Flaschen mit dem Virus versteckt haben, wo man sie finden kann. Seht im Stonehenge-Duplikat nach. Forscht nach einem Packen, der einen Neutroniumklumpen umkreist. Auf dem Mars befindet sich auch die Frachtkapsel von

Phssthpoks Schiff. Ansonsten ist Heimat schlecht kolonisierbar, aber in der Atmosphäre wimmelt es noch von dem Virus. Keiner darf zum Protektor verwandelt werden, wenn er oder sie Kinder hat.

Ihr werdet klüger sein als sie. Ihr könnt sie besiegen. Aber wartet nicht. Wenn euch das erreicht, dann folgt eine Pak-Flotte, die in der Lage war, uns zu vernichten, unmittelbar fast mit Lichtgeschwindigkeit diesem Laserimpuls. An die Arbeit!

Lebt wohl und viel Glück. Ich liebe euch.

ENDE

Verehrte Leser,

senden Sie bitte diese Karte ausgefüllt an den Verlag. Sie erhalten kostenlos unsere Verlagsverzeichnisse zugestellt.

---

Bitte hier abschneiden

---

Diese Karte entnahm ich dem Buch:

_____

_____

Kritik und Anregung:

_____

_____

_____

_____

_____

Ich wünsche die kostenlose und unverbindliche Zusendung von

☐ Verlagsverzeichnis

☐ Katalog der Gruppe Wissenschaft

☐ Katalog »Goldmann Jugend
Taschenbücher«

Name _____

Ort _____

Straße _____

Ich empfehle, den (die) Katalog(e) auch an die nachstehende Adresse
zu senden:

Name _____

Ort _____

Straße _____

Aus dem Wilhelm Goldmann Verlag bestelle ich
durch die Buchhandlung:

| Anzahl | Titel | Preis |
|--------|-------|-------|
|        |       |       |
|        |       |       |
|        |       |       |
|        |       |       |
|        |       |       |
|        |       |       |
|        |       |       |

Name

Ort

Straße

Datum _____    Unterschrift _____

7056 · 5084 · 3.000

Wilhelm Goldmann
Verlag

8000 München 80
Postfach 800709